실력도 탑! 재미도 탑!

사고력 수학의 으뜸

TOP 사고력 수학

이 책의 목차

TOP 사고력 수학의 특징

TOP사고력 수학 A/B 시리즈 는 수학 경시 대회와 영재교육원을 대비하여 꼭 알아야 할 교과서 밖 수학 개념과 실전 문제로 학생을 최상위권으로 이끌어줄 교재입니다.
보통의 상위권 실전 문제집들이 주제별로 적은 수의 문제를 나열하는 구성이라면 TOP사고력 수학은 풍부한 개념과 여러 가지 문제해결의 원리를 캐릭터들과 함께 재미있게 살펴본 후, 유형별로 충분히 연습할 수 있도록 하였습니다. 더불어 "사고력 쑥쑥" 이라는 이름의 별도 구성을 두어 주제별 학습 이후에 다양한 문제를 해결하면서 주제별 다지기 학습을 할 수 있도록 했습니다.

수학적 "깜냥" 키우기

깜냥의 뜻 - 스스로 일을 헤아릴 수 있는 능력
TOP사고력 수학의 학습 목표는 처음 보는 문제를 만나더라도 문제가 요구하는 바를 정확하게 파악하고 스스로 해결할 수 있는 능력, 즉 수학적 깜냥을 키우는 것입니다. 그런 의미에서 이 책의 주인공은 깜냥에서 따온 깜이와 냥이라는 두 아이와 수학 선생님입니다. 다양한 실전 문제를 해결하기에 앞서서 개념과 원리를 깜이, 냥이와 선생님이 이야기하듯이 재미있게 알려 줍니다.

깜이

냥이

선생님

스토리텔링 수학!

스토리텔링의 본질은 이야기를 전달하는 것이 아니라 말하는 사람과 듣는 사람 간의 상호 작용을 통해서 듣는 사람이 스스로 생각하면서 이해할 수 있도록 하는 것입니다. TOP사고력 수학은 만화나 이야기를 매개체로 하여 내용을 전달하는 형식적인 스토리텔링이 아니라 아이에게 상황을 그림으로 보여주고 질문을 하고, 활동 자료로 직접 해 볼 수 있도록 하고, 게임을 하면서 연습할 수 있도록 하는 가장 효과적인 스토리텔링 수학입니다.

체계적 구성과 충분한 연습으로 사고력 쑥쑥!!

각 단원의 시작은 "생각열기"로 학생들이 공부할 주제에 대해 먼저 생각해 보도록 질문을 던지고, 다음 쪽에서 선생님의 설명이 이어집니다. 작은 주제별로도 상황에 맞는 개념과 원리를 충분히 알아본 후, "탐구 유형"에서 유형별로 문제를 다루어 보도록 하였습니다. 단원의 마지막인 "TOP 사고력" 에서는 실전 사고력 문제로 단원을 마무리하게 됩니다.
책의 뒷부분에는 각 단원의 복습 및 다지기를 할 수 있는 "사고력 쑥쑥"을 두어 충분한 연습으로 공부한 내용을 자기 것으로 만들 수 있도록 하였습니다.

예비 활동 가이드

TOP사고력 수학 A/B 시리즈는 실전에 강한 수학 공부를 목표로 하기 때문에 교구의 도움 없이 문제 해결을 하도록 하였습니다. 그 대신 주제에 따라 스스로 원리를 이해하고 문제를 해결하는데 도움이 되도록 예비 활동 가이드를 두어 필요에 따라 문제를 해결해 보기 전에 해 볼 수 있는 활동을 제시하였습니다.

저자 동영상 강의

정답지에서 글로 전달하기 힘든 교육 방법, 활용의 예, 개념의 확장 등의 동영상을 제공합니다. 동영상은 PC에서 볼 수도 있고, QR코드를 이용하여 모바일로 이용할 수도 있습니다.

TOP 사고력 수학 시리즈

- **영역별 나선형식 반복 학습 구조**
- **나이, 학년 단계별 수학의 각 영역 비중 차등**
- **경시, 영재교육원 등의 최신 문제 경향 반영**

유아 단계와 초등 단계의 학습 목표

- **K/P시리즈 -** 초등 입학 전 알아야 할 필수적인 수학 개념을 익히면서 수감각, 공간지각력, 논리력, 문제 이해력 등 수학적 직관력을 키우기
- **A/B시리즈** - 초등 저학년을 대상으로 수학 경시, 영재교육원의 대비와 최상위권으로 이끌기

시리즈별 학습 단계

- **K시리즈** - 수학의 시작 단계(6~7세)
- **P시리즈** - 초등 입학 준비 단계(7~8세)
- **A시리즈** - 초등 1학년 과정을 마친 학생을 대상으로 한 심화 사고력(초1~초2)
- **B시리즈** - 초등 2학년 과정을 마친 학생을 대상으로 한 심화 사고력(초2~초3)

TOP 사고력 수학의 구성

생각열기

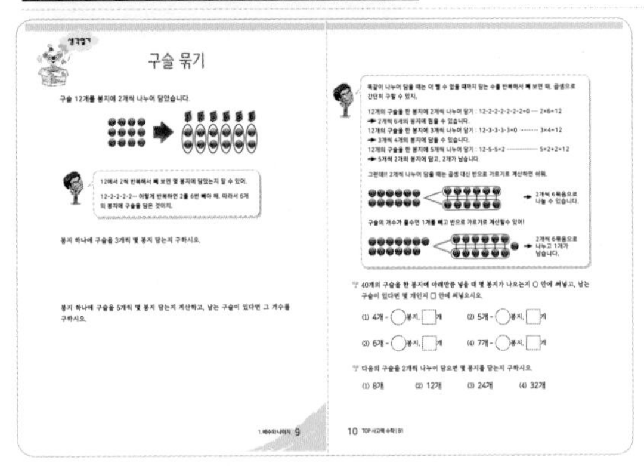

각 단원의 첫 페이지는 공부할 주제에 대한 발문의 역할을 하는 "생각열기"입니다.
재미있게 공부할 주제에 대한 호기심을 유발하고, 간단한 질문에 답하도록 합니다. 꼭 정답을 맞추기보다는 스스로 생각해 보는 것에 초점을 맞추도록 합니다.
스스로 먼저 생각하는 데 방해가 되지 않도록 질문에 대한 설명은 다음 쪽에 있습니다.

원리 탐구

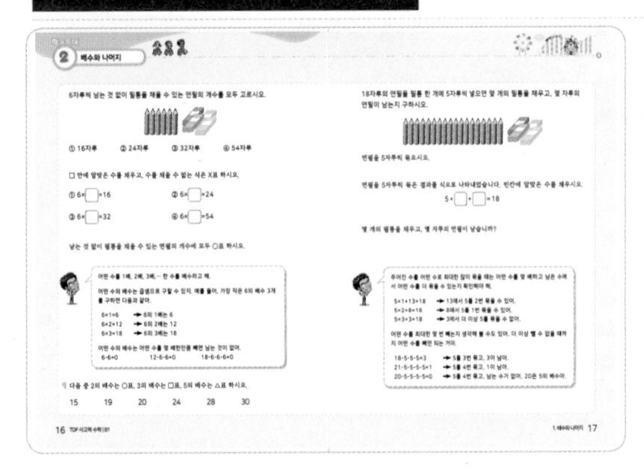

작은 주제별 개념과 문제해결의 원리를 알아보고, 확인 문제를 해결해 봅니다.

탐구 유형

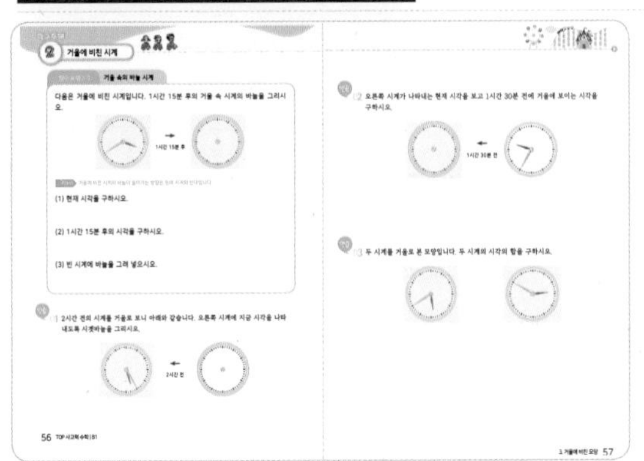

주제별로 여러 가지 유형별 문제를 공부합니다. 문제해결의 원리를 발견할 수 있도록 단계적으로 질문에 따라 문제를 풀어 봅니다.

TOP 사고력

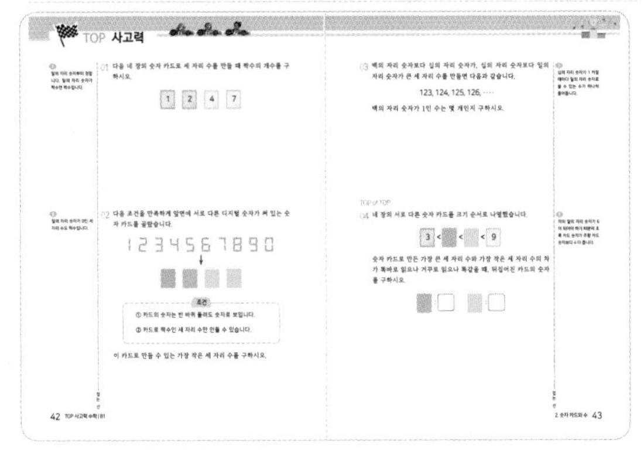

주제별 최고 난이도의 심화 문제를 공부합니다.

사고력 쑥쑥

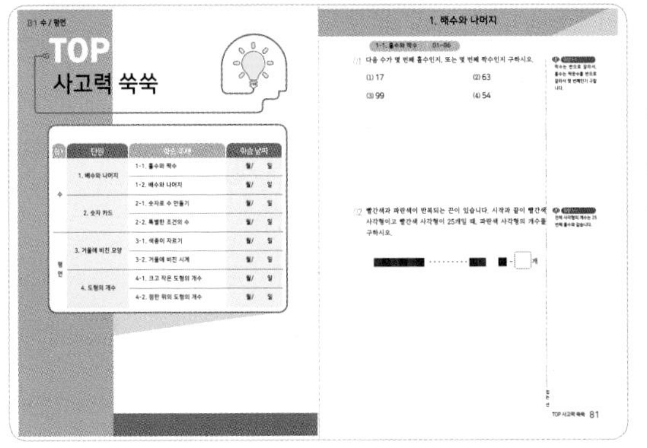

81쪽에서 112쪽까지 32쪽에 걸쳐서 앞에서 공부한 부분을 스스로 복습하고 다지기 하도록 합니다. 80쪽에는 작은 주제의 복습을 시작하는 날짜를 적어서 한 권을 마치는 동안 공부한 시간을 한 눈에 볼 수 있도록 했습니다.

예비 활동 가이드와 활동 자료

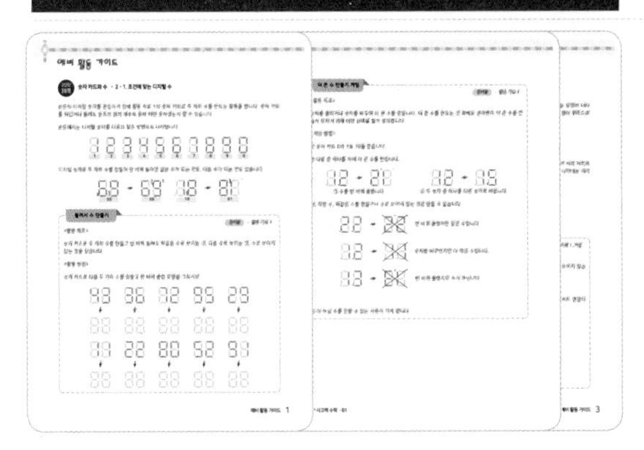

본문을 공부하기 전에 예비 활동을 소개하고 활동에 필요한 활동 자료가 들어 있습니다.

B 시리즈의 학습 내용

B1

연산	1. 곱셈
	2. 식 만들기
측정	3. 길이, 무게, 들이
	4. 시각, 날짜

B2

수	1. 배수와 나머지
	2. 숫자 카드와 수
평면	3. 거울에 비친 모양
	4. 도형의 개수

B3

논리	1. 논리 추론
	2. 경로와 위치
평면	3. 펜토미노 퍼즐
	4. 도형 움직이기

B4

연산	1. 저울산
	2. 여러 가지 배수 관계
입체	3. 쌓기나무 놀이
	4. 주사위

B5

규칙	1. 수의 규칙
	2. 모양 규칙
확률과 통계	3. 순서대로 나열하기
	4. 리그와 토너먼트

B6

문제 해결	1. 간격의 개수와 길이
	2. 거꾸로 해결하기
	3. 차 탐구
	4. 포함과 배제

동영상 강의를 활용해요.

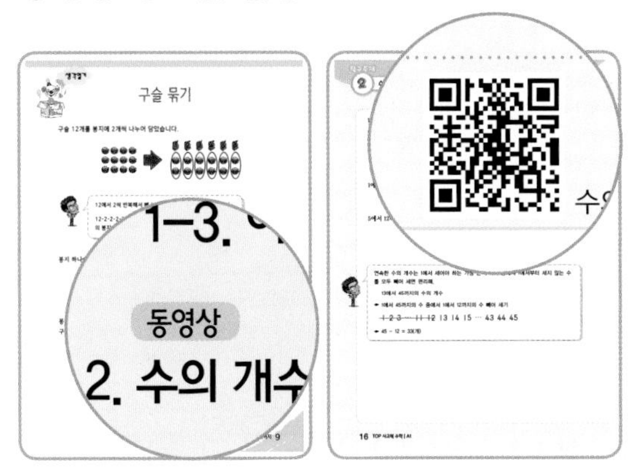

단원의 목차에는 동영상 이라는 표시가, 각 페이지의 윗부분에는 (QR) 모양이 있으면 동영상 강의가 있다는 뜻입니다. 동영상 강의에서는 문제를 해결하는 원리를 좀 더 쉽게 설명해 줍니다. 어려운 부분은 동영상 강의를 이용할 수 있습니다.

예비 활동을 활용해요.

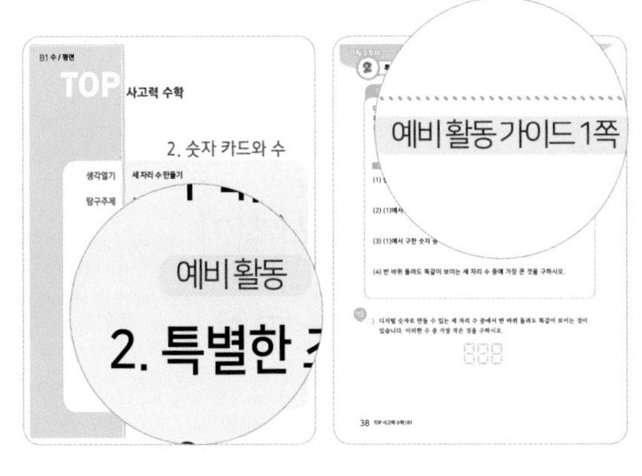

단원의 목차에는 예비활동 이라는 표시가, 각 페이지의 윗부분에는 예비활동가이드 1쪽 표시가 있으면 문제를 풀기 전에 해 보면 좋은 활동이 있다는 뜻입니다.

예비 활동 가이드와 활동 자료를 이용하여 활동이나 게임을 먼저 해 보고 나서 책의 문제를 풀어보면 좀 더 재미있고, 쉽게 문제를 해결할 수 있습니다.

접는 선을 따라 종이를 접고 문제를 풀어요.

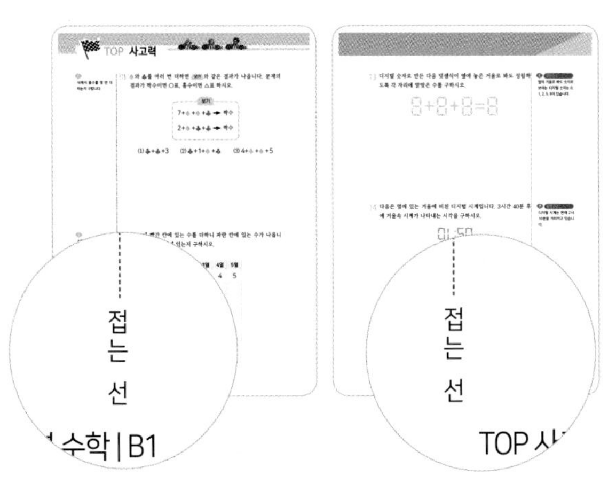

"TOP 사고력"과 "사고력 쑥쑥"에는 접는 선이 표시되어 있습니다. 접는 선 표시에 따라 종이를 접고 문제를 풀고, 어려운 경우 종이를 펼쳐서 도움글을 보고 해결해 봅니다.

TOP 사고력 수학

1. 수의 규칙

일의 자리 숫자는?

수 □를 △번 곱한 수의 일의 자리 숫자를 □[△]라고 약속합니다.
예를 들어 2×2×2 = 8이므로 2[3]=8이고 3×3×3×3 = 81이므로 3[4] = 1입니다.

2[1]부터 2[6]까지 일의 자리 숫자를 써넣으시오.

2[1] = □
2[2] = □
2[3] = □
2[4] = □
2[5] = □
2[6] = □

2를 8번 곱한 수의 일의 자리 숫자를 구하시오.

직접 곱해보면서 일의 자리 숫자를 구할 수도 있지만 규칙을 찾을 수도 있어.

2를 연속해서 곱한 수의 일의 자리 숫자를 보면 다음과 같아.

2[1] = 2
2[2] = 4
2[3] = 8
2[4] = 6
2[5] = 2
2[6] = 4
2[7] = 8
2[8] = 6
⋮

일의 자리 숫자가 2, 4, 8, 6의 순서대로 반복되지? 2를 8번 곱하면 6이 다시 나와.

직접 계산하지 않고 규칙으로도 알 수 있어!

2를 10번 곱한 수의 일의 자리 숫자를 구하시오.

똑같은 수를 연속해서 곱할 때 일의 자리 숫자가 항상 같은 것에 모두 ○표 하시오.

1 3 4 5

묶어서 규칙 찾기

탐구 유형 1-1 수 피라미드의 규칙

규칙에 맞게 ㉠, ㉡, ㉢에 들어가는 수를 알맞게 써넣으시오.

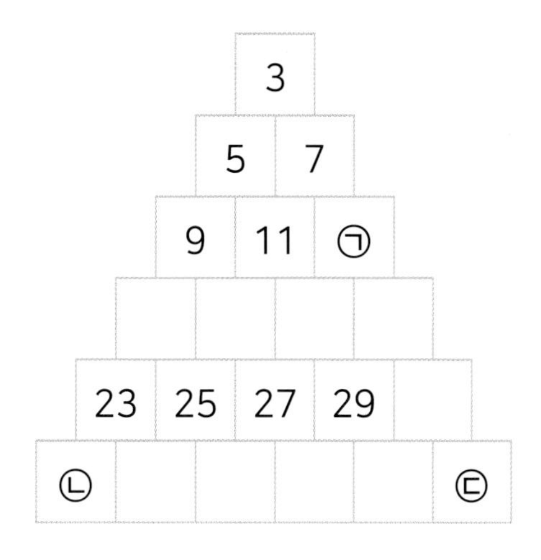

• Point 같은 층의 수는 오른쪽으로 갈수록 일정하게 증가합니다. 아래층으로 내려갈수록 □가 한 개씩 증가합니다.

(1) ㉠이 적힌 □에 들어가는 수를 구하시오.

(2) ㉡, ㉢이 적힌 □에 들어가는 수를 구하시오.

연습

01 □ 안에 알맞은 수를 써넣으시오.

(1) 7, 9, 3, 1, 7, 9, 3, 1, □, 9, 3, 1

(2) 3, 7, 11, 15, 19, □, 27

(3) 1, 2, 4, 7, 11, 16, □, 29

(4) 45, 44, 42, 39, □, 30, 24, 17

연습 02 새 나뭇가지가 한 번에 3개씩 자랍니다.

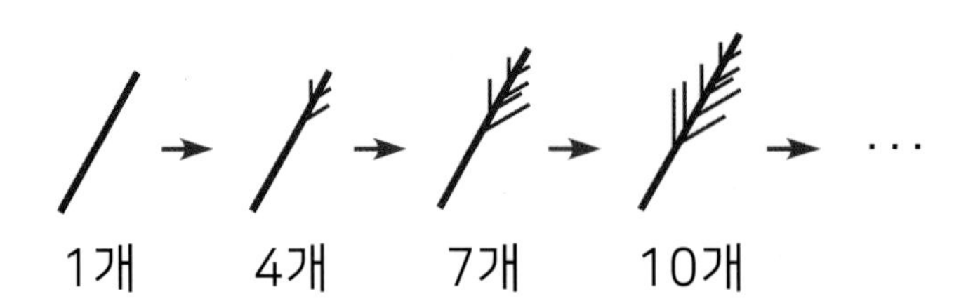

7번째 가지의 개수를 구하시오.

연습 03 냥이는 8번째 계단에 서 있습니다. 냥이가 2칸 내려가고 3칸 올라가는 것을 반복한다면, 5번 이동했을 때 몇 번째 계단에 서 있는지 구하시오.

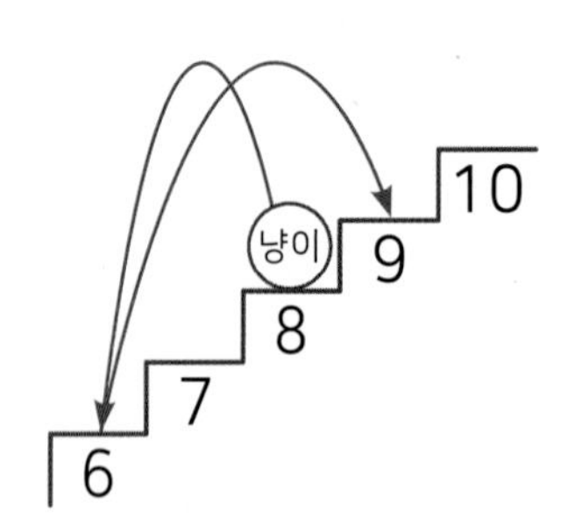

연습 04 동전 30개가 있는데 한 번에 덜어내는 개수를 1개, 2개, 3개, ···씩 늘립니다. 동전을 6번 덜어내면 몇 개가 남는지 구하시오.

30개 → 29개 → 27개 → 24개 → ···

탐구 유형 1-2 규칙 속의 규칙

다음과 같은 규칙으로 수를 나열했습니다.

1, 1, 2, 1, 2, 3, 1, 2, 3, 4, ⋯

두 번째로 나오는 5는 몇 번째 수인지 구하시오.

• Point 수를 1개, 2개, 3개씩 묶으면 묶음 안의 가장 큰 수는 1씩 커집니다.

(1) □ 안의 수가 반복되는 규칙을 이용하여 5가 들어가는 □에 모두 ○표 하시오.

(2) 두 번째로 나오는 5는 몇 번째 수인지 구하시오.

01 □ 안에 알맞은 수를 써넣으시오.

(1) 2, 1, 3, 3, 2, 4, 4, 3, 5, 5, □, 6, 6, 5, 7

(2) 5, 4, 3, 2, 1, 4, 3, 2, 1, 3, 2, 1, □

(3) 2, 2, 3, 2, 3, 5, 2, 3, 5, 8, 2, 3, 5, 8, □

탐구 유형 1-3 수 배열표와 규칙

다음과 같은 규칙으로 수를 써넣습니다. 23은 몇 번 열에 있는지 구하시오.

1열	2열	3열	4열	5열
1		2		3
	4		5	
6		7		8
	9		10	
		⋮		

• Point 수를 순서대로 5개씩 묶어 규칙을 발견할 수 있습니다.

(1) 11부터 15까지 위의 표에 써넣으시오.

(2) 표에서 아래로 2칸 이동할수록 칸 안의 수가 몇 씩 커지는지 구하시오.

(3) 23이 있는 열의 번호를 구하시오.

연습 01 수가 반복되는 규칙을 찾아 □ 안에 수를 알맞게 써넣으시오.

10	11				□		
4	9	12	17				
3	5	8	13	16			
1	2	6	7	14	15		

연습 02 다음과 같은 규칙으로 수를 써넣습니다. 27은 몇 번 열에 있는지 구하시오.

1열	2열	3열	4열	5열
1			2	
	3			4
6		5		
	8		7	
		10		9
11			12	
		⋮		

연습 03 수를 규칙적으로 써넣습니다. 단, 검은색 □에는 수를 써넣지 않습니다.

22를 써넣은 □를 찾아 ○표 하시오.

2 커지고 작아지고

점과 점을 이어 선분을 그립니다. 점이 하나씩 생길 때마다 늘어나는 선분의 개수를 생각해봅시다.

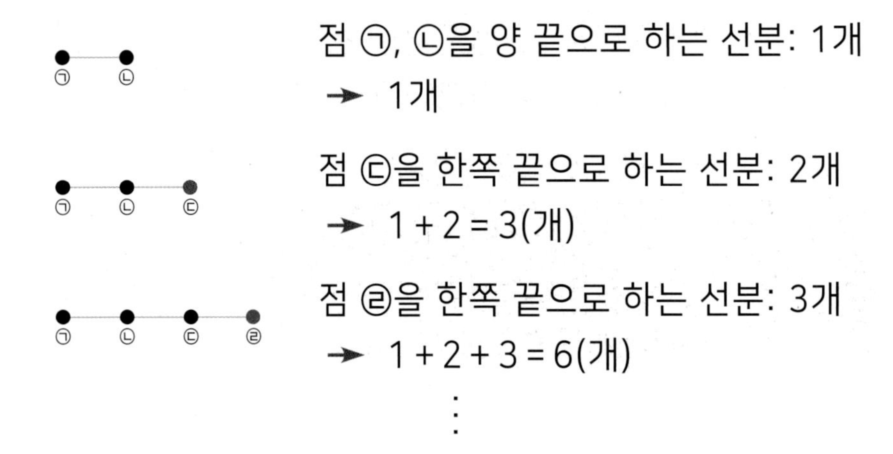

점 ㉤을 한쪽 끝으로 하는 선분의 개수를 구하시오.

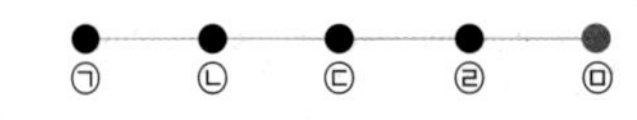

점이 5개일 때 그릴 수 있는 선분의 개수를 구하시오.

점의 개수를 늘려가며 그리면서 점의 개수에 따른 선분의 개수의 규칙을 찾을 수 있지.

가람이는 점 6개 중 2개를 이어 선분을 그리고 나영이는 점 4개 중 2개를 이어 선분을 그립니다. 두 사람이 그릴 수 있는 선분의 개수의 차를 구하시오.

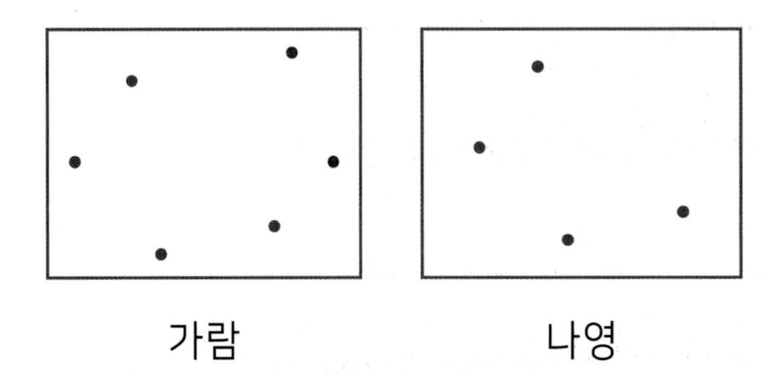

탐구 유형 2-1 **조각의 개수를 구하라**

구부린 끈을 세로로 한 번 자르면 구부리지 않을 때보다 더 많은 조각이 생깁니다.

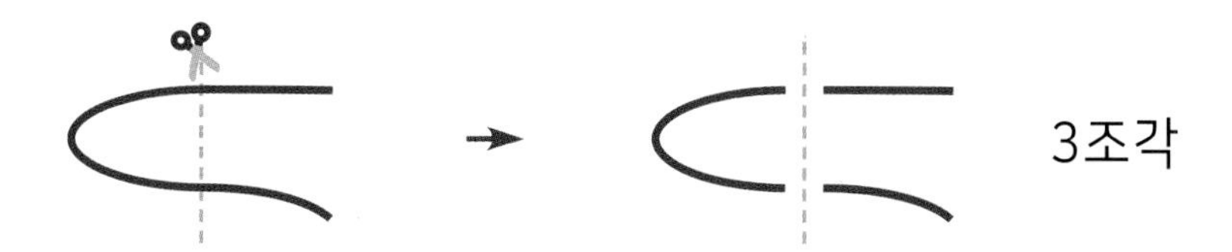

구부린 끈을 세로로 5번 자르면 몇 조각이 되는지 구하시오.

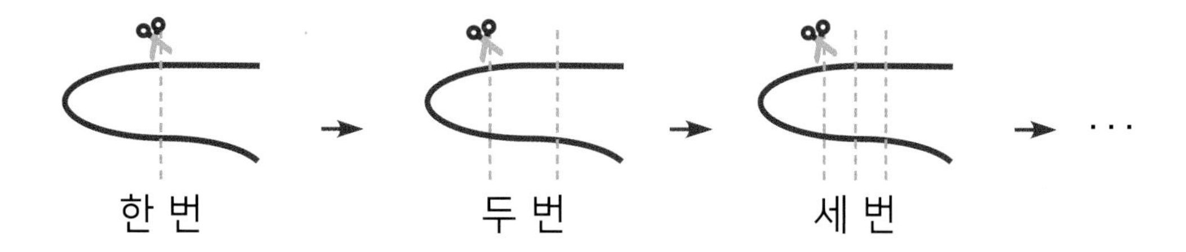

Point 자를 때마다 생기는 조각의 수는 일정합니다.

(1) 구부린 끈을 한 번 자를 때마다 몇 조각이 새로 생기는지 구하시오.

(2) 5번 자르면 몇 조각이 되는지 구하시오.

연습

01 색종이를 먼저 가로로 한 번 자릅니다. 그 후에 세로로 계속해서 자릅니다.

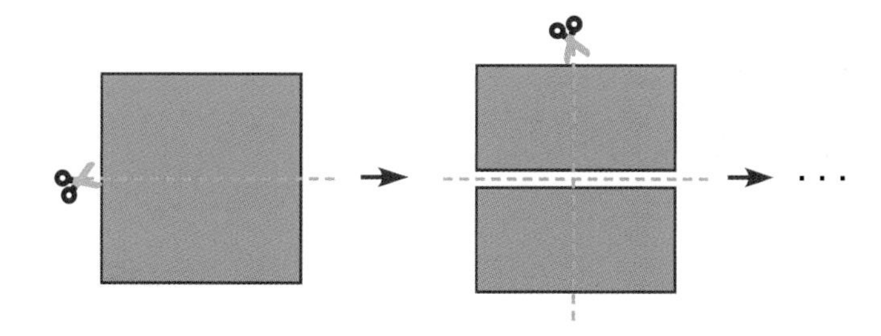

세로로 3번 자르면 몇 조각이 되는지 구하시오.

커지고 작아지고

연습 02 끈의 모양이 변하는 규칙을 보고 5번째 끈을 한 번 자르면 몇 조각이 되는지 구하시오.

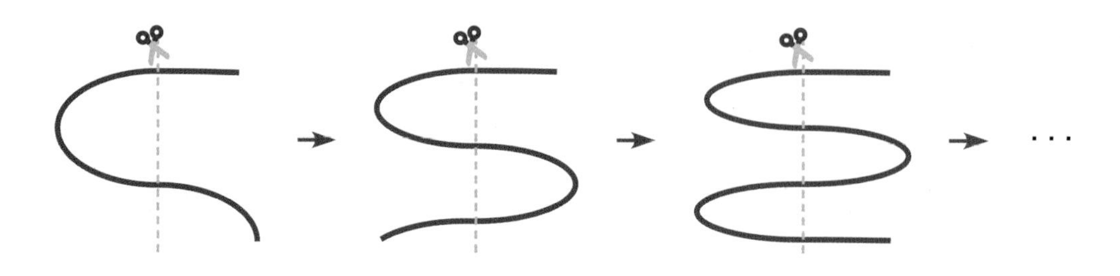

연습 03 선을 따라 그릴 수 있는 정사각형의 개수가 늘어납니다.

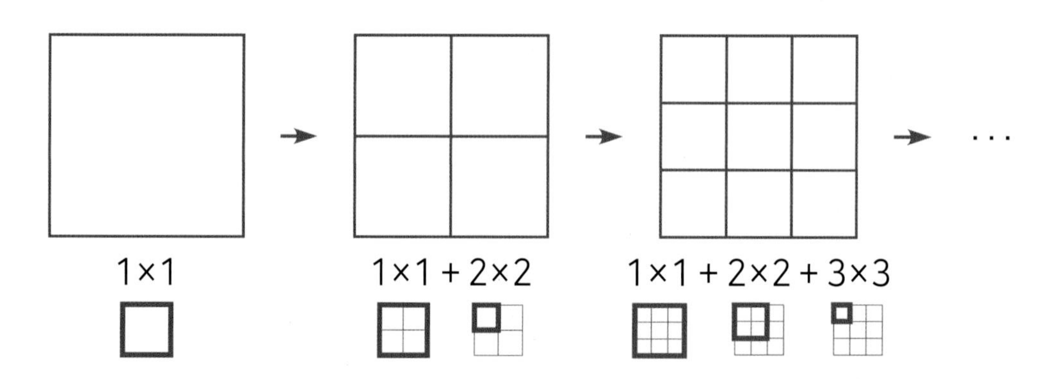

4번째 그림에서 선을 따라 그릴 수 있는 정사각형의 개수를 구하시오.

탐구 유형 2-2 번식하는 세균

하루에 2배씩 늘어나는 세균 1마리를 병에 넣으면 7일 후에 병이 가득 찹니다. 세균 2마리를 병에 넣으면 며칠 후에 병이 가득 차는지 구하시오.

Point 세균 2마리를 병에 넣고 하루가 지나면 몇 마리가 되는지 먼저 구합니다.

(1) 처음에 넣은 세균의 수를 보고 빈칸에 수를 써넣으시오.

일	1	2	3	4	5	6	7
세균 1마리	2	4					
세균 2마리							

(2) 세균 2마리를 병에 넣으면 며칠 후에 병이 가득 차는지 구하시오.

연습

01 한 달에 높이가 2배씩 자라나는 대나무가 있는데 6달 만에 다 자랍니다. 다 자란 대나무의 절반만큼 자라는 데 몇 달이 걸리는지 구하시오.

연습

02 통에 들어있는 바둑돌을 한 번에 절반씩 덜어냅니다. 7번 덜어내니 바둑돌 1개가 남았을 때 바둑돌 4개를 남기기 위해서는 몇 번 덜어내야 하는지 구하시오.

연습

03 1년이 지나면 토끼의 수가 3배로 늘어납니다. 토끼 2마리를 어느 섬에 풀어 놓으니 5년이 지나자 섬이 가득 찼습니다. 이 섬을 4년 만에 가득 채우려면 토끼를 몇 마리 풀어야 하는지 구하시오.

연습

04 처음의 수 1이 4배가 되고 반이 되는 것을 반복하고 11번째에는 수 ㉠이 됩니다.

1 → 4 → 2 → 8 → 4 → ···

같은 규칙으로 수가 변할 때 9번째에 수 ㉠이 되기 위해서는 처음의 수가 몇이 되어야 하는지 구하시오.

탐구주제

3 연산 약속

탐구 유형 3-1 하나의 기호 두 개의 규칙

다음 연산 기호의 규칙을 찾아 □ 안에 알맞은 수를 써넣으시오.

5★9 = 4	11★8 = 3
7★7 = 7	8★8 = 8
9★1 = 8	1★0 = 1

(1) 3★4 = □ (2) 35★35 = □

(3) 12★12 = □ (4) 91★90 = □

Point 계산식의 두 수가 같은 경우와 다른 경우로 나누어 생각합니다.

연습

01 다음 연산 기호의 규칙에 따라 계산한 결과를 보고 □ 안에 알맞은 수를 써넣으시오.

· ㉠이 ㉡보다 크다면 ㉠ ● ㉡ = ㉠ - ㉡

· ㉠이 ㉡보다 크지 않다면 ㉠ ● ㉡ = ㉠ + ㉡

3 ● 3 = 3 + 3 = 6

9 ● 2 = 9 - 2 = 7

5 ● 8 = 5 + 8 = 13

(1) 5 ● □ = 12 (2) 9 ● □ = 18 (3) 7 ● □ = 3

연습 02 다음 연산 기호를 사용하여 식을 계산하였는데 하나의 식이 잘못 계산되었습니다. 잘못 계산한 식에 ○표 하시오.

㉠ 1★2 = 1	㉡ 8★9 = 1
㉢ 3★3 = 0	㉣ 5★8 = 3
㉤ 4★4 = 0	㉥ 4★3 = 1
㉦ 5★3 = 8	㉧ 11★8 = 19

연습 03 다음 연산 기호의 규칙을 찾아 □ 안에 알맞은 연산 기호를 그리시오.

1 △ 3 = 2	3 ♡ 4 = 12
7 △ 2 = 5	7 ♡ 3 = 21
5 △ 6 = 1	5 ♡ 9 = 45
1 △ 1 = 2	3 ♡ 3 = 3
4 △ 4 = 8	8 ♡ 8 = 8

(1) 3 □ 8 = 24　　(2) 8 □ 7 = 1　　(3) 9 □ 9 = 18

탐구 유형 3-2 규칙대로 수 바꾸기

보기 의 수가 변하는 규칙을 찾아 □ 안에 알맞은 수를 써넣으시오.

보기

51 → 🍌 → 6　　3 → 🍌 → 33
21 → 🍌 → 3　　6 → 🍌 → 66
83 → 🍌 → 11　　5 → 🍌 → 55

7 → 🍌 → 🍌 → 🍌 → □

Point 왼쪽의 수가 한 자리 수일 때와 두 자리 수일 때 다른 규칙으로 수가 변합니다.

(1) □ 안에 알맞은 수를 써넣으시오.

42 → 🍌 → □　　7 → 🍌 → □

(2) □ 안에 알맞은 수를 써넣으시오.

7 → 🍌 → 🍌 → 🍌 → □

01 왼쪽의 수가 변하는 규칙을 찾아 □ 안에 알맞은 수를 써넣으시오.

32 → 🏀 → 5
15 → 🏀 → 4
33 → 🏀 → 6
93 → 🏀 → 12
77 → 🏀 → 14
59 → 🏀 → 4

(1) 42 → 🏀 → □

(2) 57 → 🏀 → □

(3) 66 → 🏀 → 🏀 → □

TOP 사고력

구슬의 개수가 커지거나 작아지는 양이 점점 늘어납니다.

01 주머니 속 구슬의 개수가 다음 규칙으로 변합니다.

30개 → 31개 → 29개 → 32개 → 28개 → ···

7번째 주머니에 구슬이 몇 개 들어있는지 구하시오.

△모양과 바로 아래에 있는 ▽모양을 묶어보고 남는 △모양의 개수만 생각합니다.

02 규칙적으로 정삼각형의 개수가 늘어납니다.

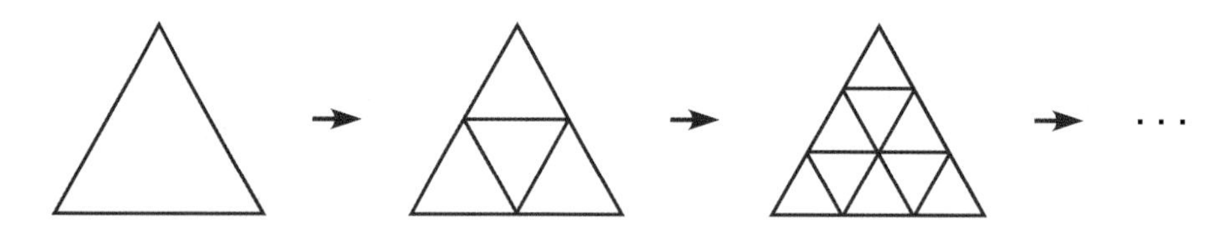

가장 작은 정삼각형만 셀 때, 5번째 그림에서 △모양은 ▽모양보다 몇 개 더 많은지 구하시오.

접는 선

03 보기 의 수가 변하는 규칙을 찾아 □ 안에 들어갈 수 있는 수를 모두 구하시오.

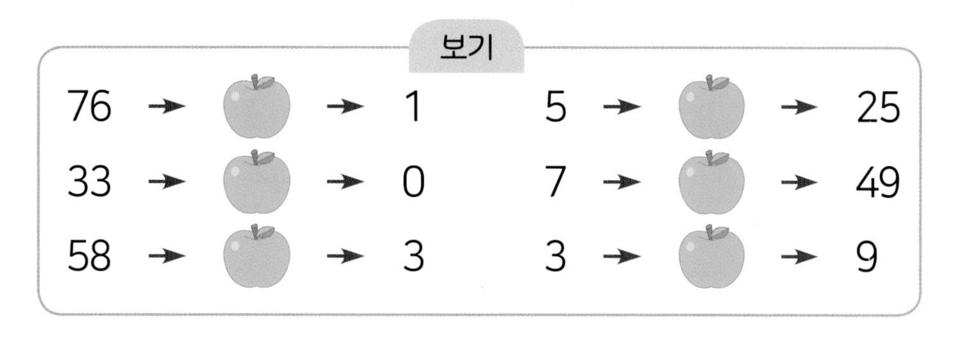

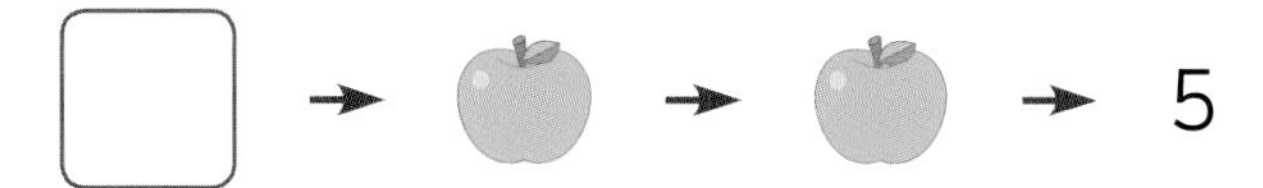

두 자리 수는 각 자리 숫자의 차로 변하고 한 자리 수는 그 수를 두 번 곱한 수로 변합니다.
두 숫자의 차는 두 자리 수가 될 수 없기 때문에 두 자리 수에 규칙이 적용되어도 두 자리 수가 나올 수 없습니다.

TOP of TOP

04 우주선은 1월 1일에 지구를 출발하면 1월 2일에 화성에 도착하고 1월 10일에는 센타우리 별에 도착합니다. 지구와 우주선 사이의 거리는 매일 2배로 늘어납니다.

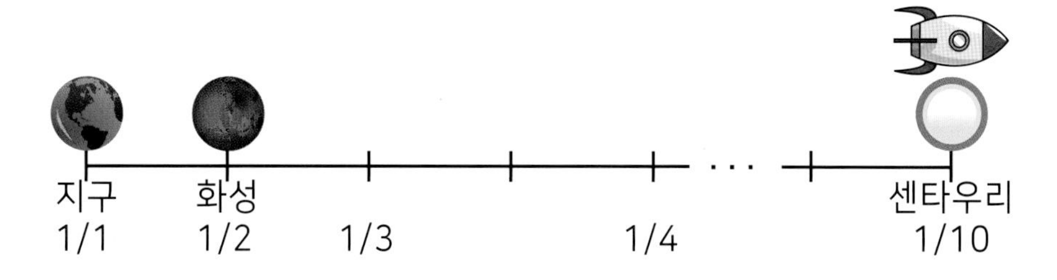

똑같은 우주선이 지구에서 출발해 1월 1일에 아래만큼 날아갔습니다. 이 우주선이 센타우리 별에 도착하는 날짜를 구하시오.

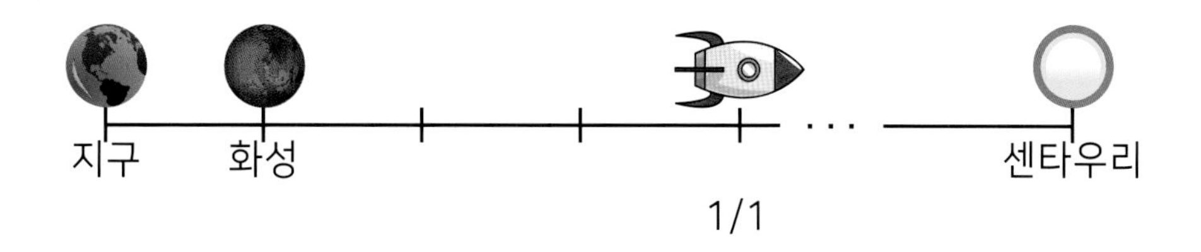

출발 후 3일이 지나면 지구와 화성 사이의 거리의 4배를 가게 됩니다.

접는 선

TOP 사고력 수학

2. 모양 규칙

톱니 바퀴가 도는 방향

맞물린 톱니바퀴를 돌리면 서로 반대 방향으로 돕니다.

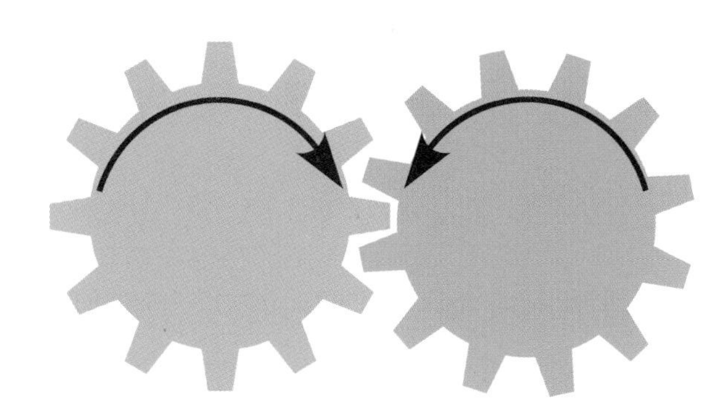

⑩번 톱니바퀴가 도는 방향을 그리시오.

도는 방향이 잘못된 톱니바퀴에 ○표 하시오.

홀수 번째 톱니바퀴는 시계 방향으로, 짝수 번째 톱니바퀴는 시계 반대 방향으로 돌기 때문에 ⑩번 톱니바퀴는 시계 반대 방향으로 돌지.

㉠부터 톱니바퀴의 순서를 셀 때 ㉢은 홀수 번째야. ㉠이 시계 반대 방향으로 돌기 때문에 ㉢도 시계 반대 방향으로 돌아.

공통점과 차이점을 이용해 모양이나 회전의 규칙을 찾을 수 있어!

팽이가 돌고 있는 방향의 규칙을 찾아 14번째 팽이가 도는 방향을 그리시오.

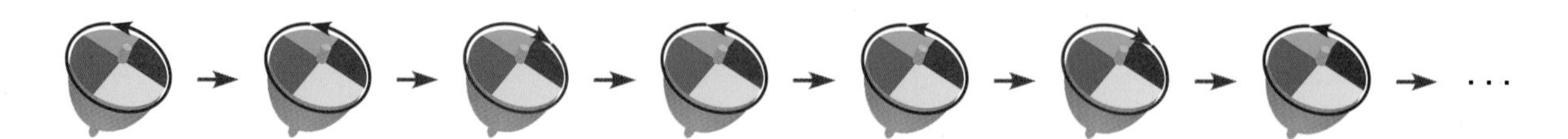

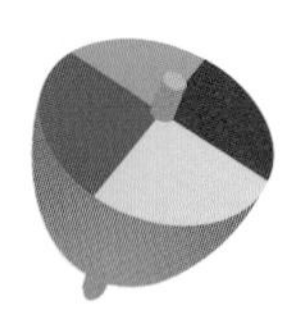

1 회전 규칙

탐구 유형 1-1 변하는 원판

원판의 모양이 규칙적으로 변하고 있습니다. 10번째 원판의 모양을 완성하시오.

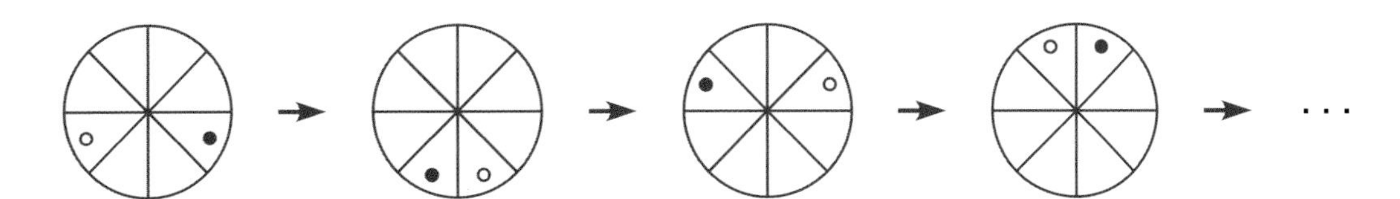

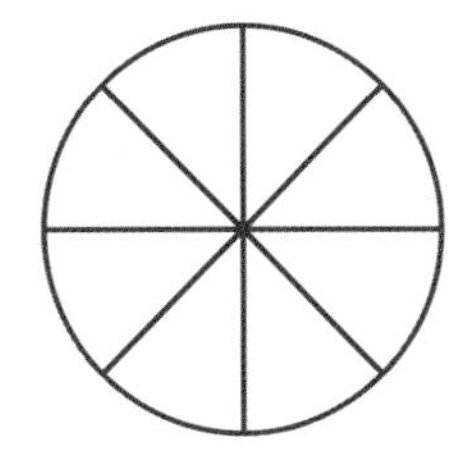

Point ○는 시계 반대 방향으로, ●는 시계 방향으로 돌고 있습니다. 몇 칸씩 움직이는지 생각해 봅니다.

(1) 1번째와 같은 모양의 원판은 몇 번째에 처음으로 나오는지 구하시오.

(2) 10번째 원판의 모양을 알맞게 그리시오.

연습 01 6개의 칸이 있는 대관람차가 규칙적으로 돌고 있습니다. 11번째 대관람차의 빨간색 칸의 위치를 찾아 색칠하시오.

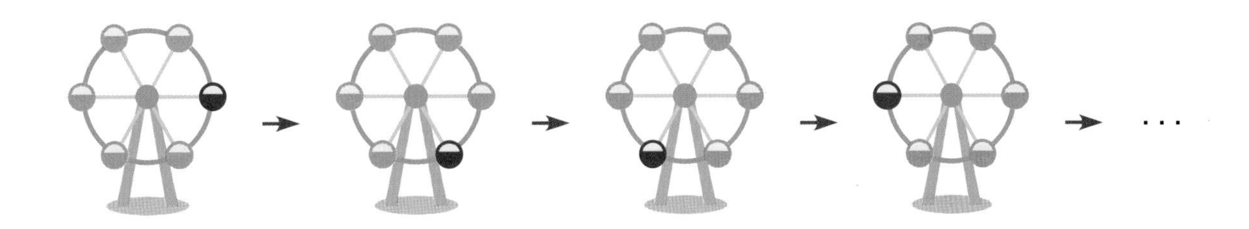

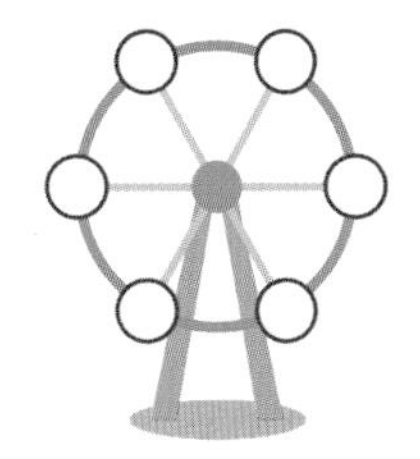

탐구주제 1 회전 규칙

연습 02 규칙적으로 흰색, 검은색 바둑돌을 놓았습니다. 3번째 모양을 완성하시오.

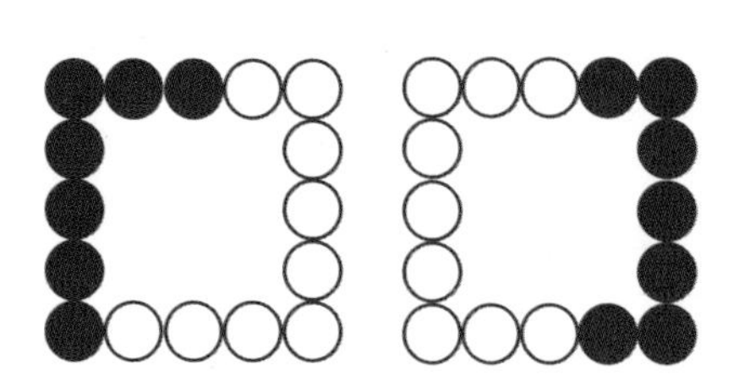
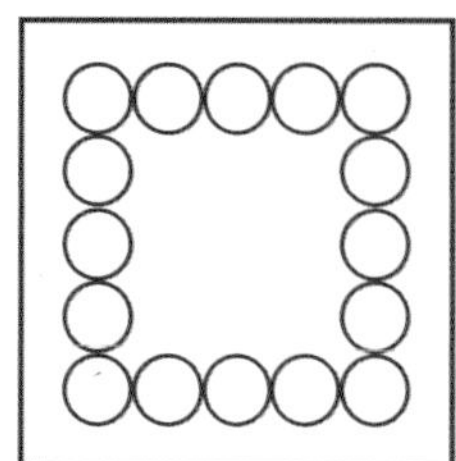

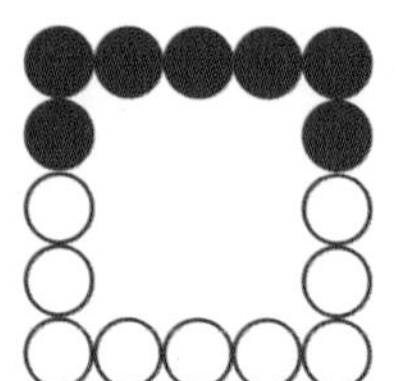

연습 03 규칙을 찾아 빈칸에 알맞은 수를 써넣으시오.

1	2
4	3

6	3
5	4

7	8
6	5

8	9
7	10

연습 04 무늬의 반복 규칙을 찾아 검은색 □ 안에 알맞게 그리시오.

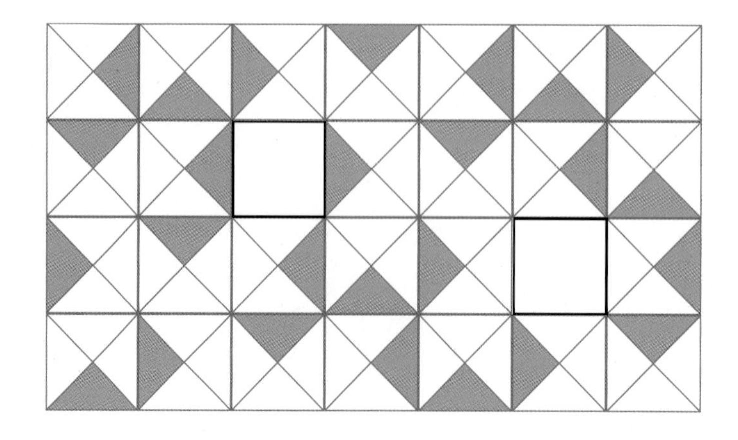

탐구 유형 1-2 돌아라 숫자판

규칙을 찾아 빈 칸에 알맞은 수를 써넣으시오.

1	3
9	5

9	1
5	3

3	5
1	9

5	9
3	1

5	9
3	1

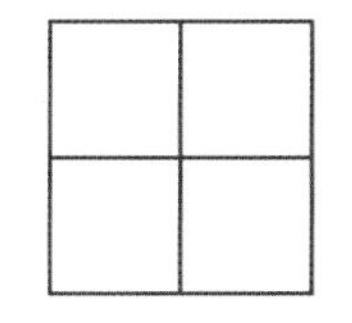

···

Point 수의 위치가 변하는 규칙을 먼저 찾습니다.

(1) 숫자판 안의 수의 위치를 기호로 나타낼 수 있습니다. 예를 들어 첫 번째 숫자판에서 1의 위치는 ㉠입니다. 기호를 사용하여 1의 위치를 차례로 써넣으시오.

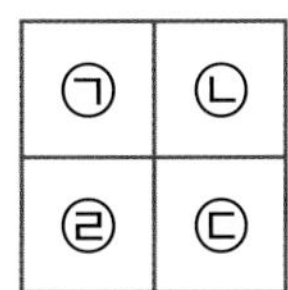

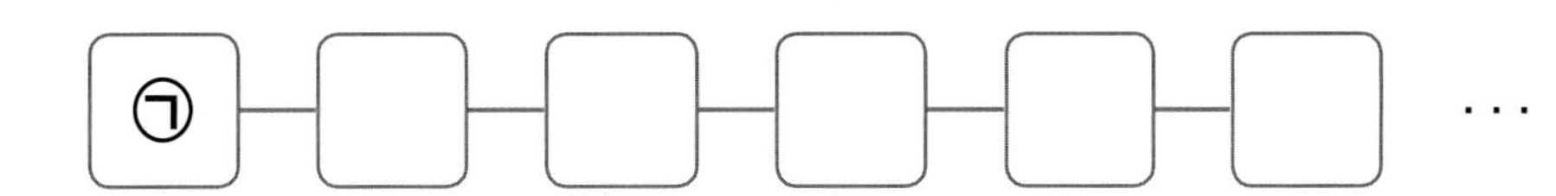

(2) 6번째 숫자판에 알맞은 수를 써넣으시오.

연습 01 시계가 가리키는 시각의 규칙을 찾아 5번째 시계가 가리키는 시각을 구하시오.

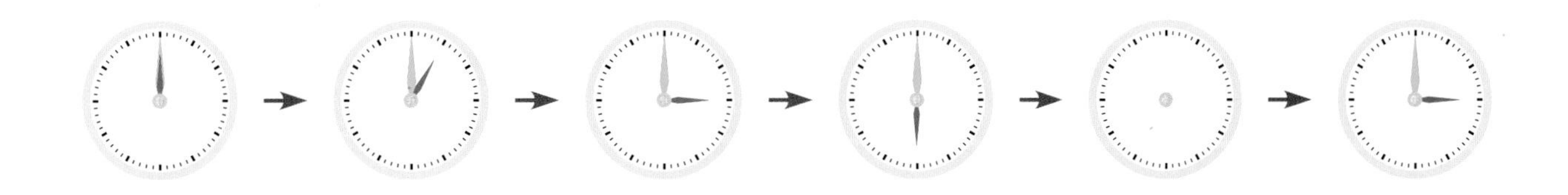

연습 02 규칙을 찾아 마지막 모양을 완성하시오.

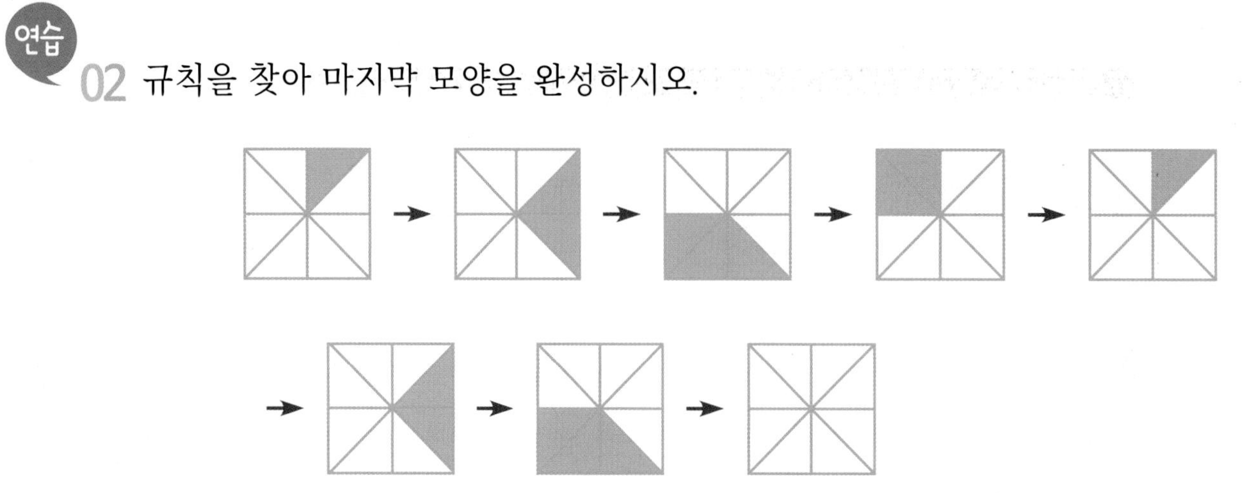

연습 03 □가 규칙적으로 색칠되어 있습니다. 5번째 그림을 알맞게 색칠하시오.

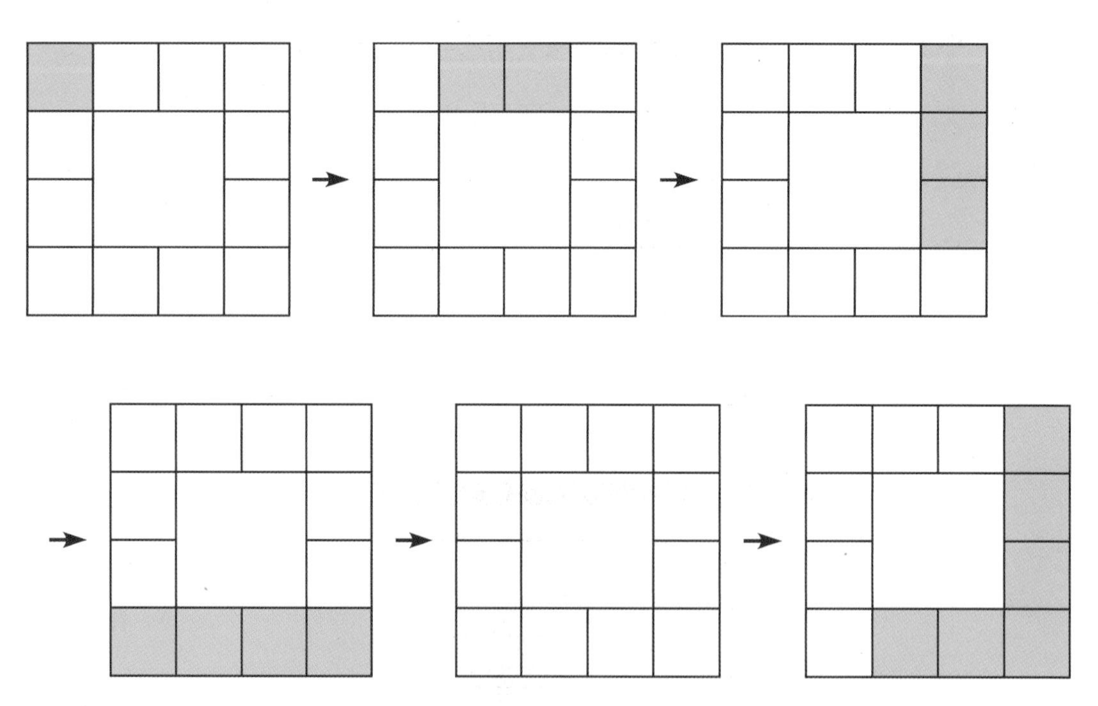

2 모양 변화 규칙

탐구 유형 2-1 두 모양이 하나로

보기 의 규칙을 찾아 오른쪽의 모양을 완성하시오.

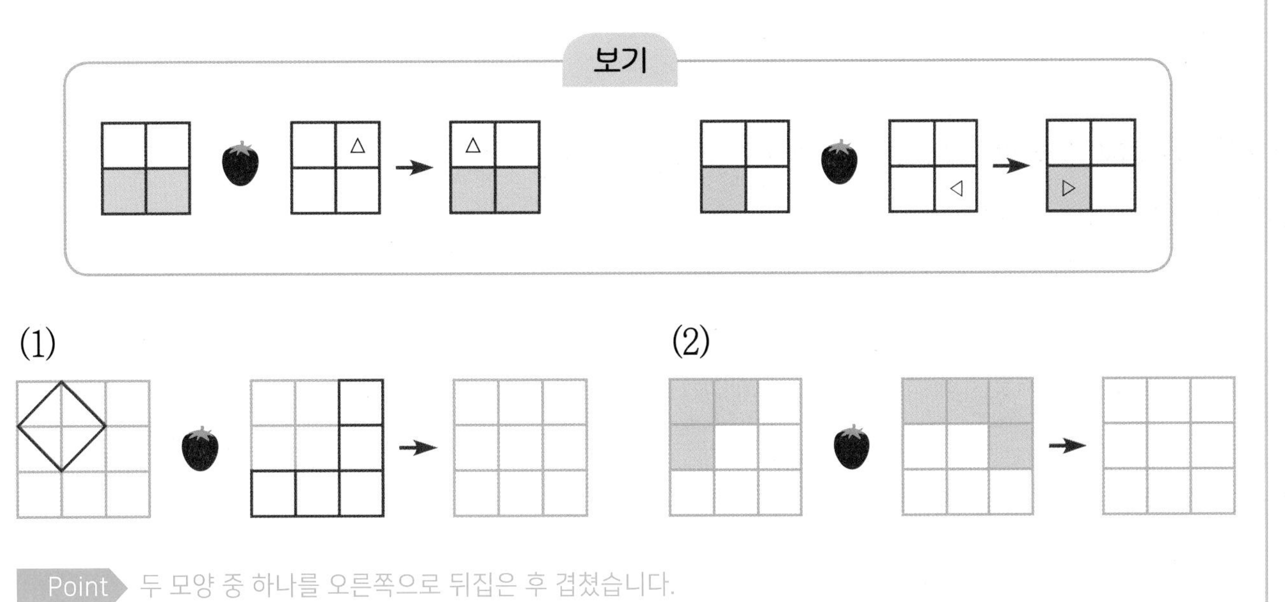

Point 두 모양 중 하나를 오른쪽으로 뒤집은 후 겹쳤습니다.

연습 01 보기 의 규칙을 찾아 □ 안의 모양을 완성하시오.

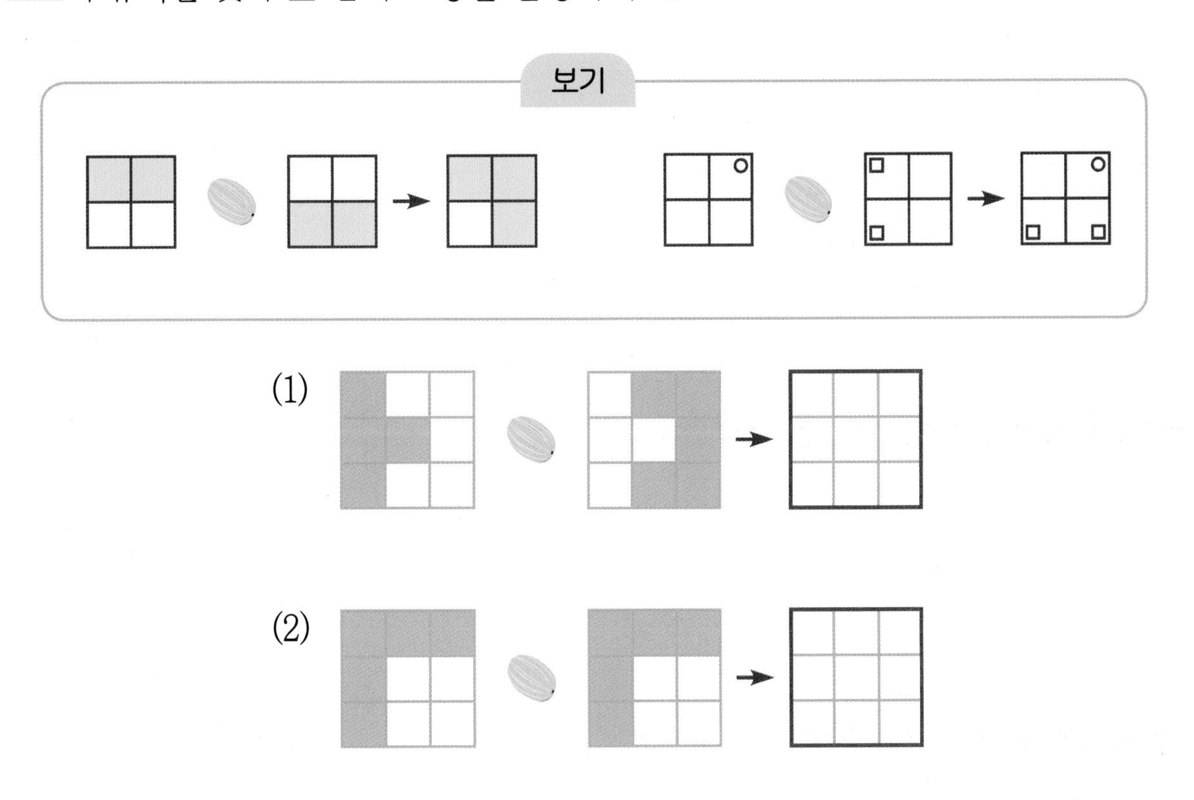

연습 02 규칙이 다른 하나를 찾아 ○표 하시오.

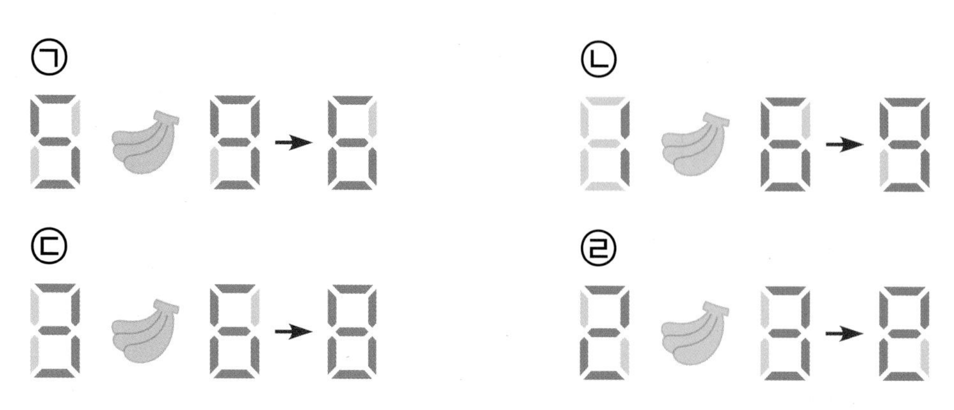

연습 03 보기 의 모양이 변하는 규칙을 찾아 □ 안의 모양을 완성하시오.

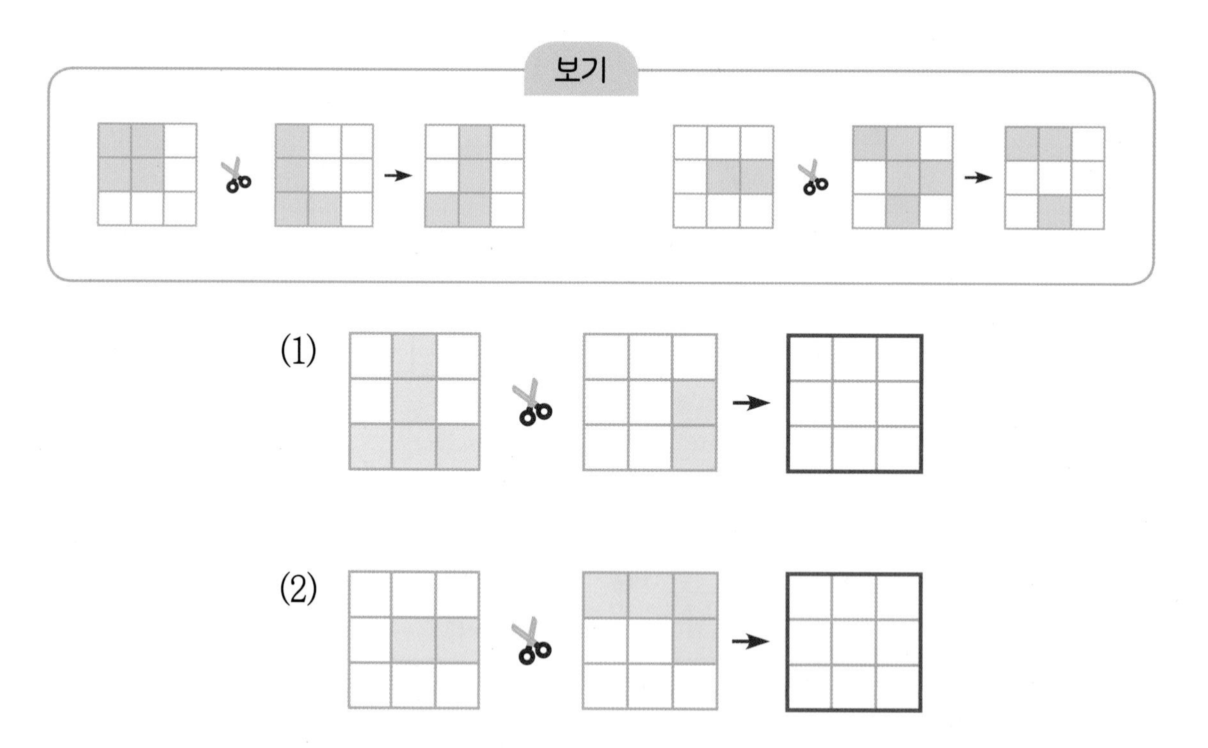

탐구 유형 2-2 빈칸의 모양

규칙에 따라 모양이 반복되고 있습니다. ▢ 안에 알맞은 모양을 그리시오.

Point 묶음 안의 모양의 개수는 점점 줄어듭니다.

(1) 첫 번째, 두 번째 ★ 사이에는 다른 모양이 4개 있습니다. ★ 사이에 있는 다른 모양의 개수를 순서대로 구하시오.

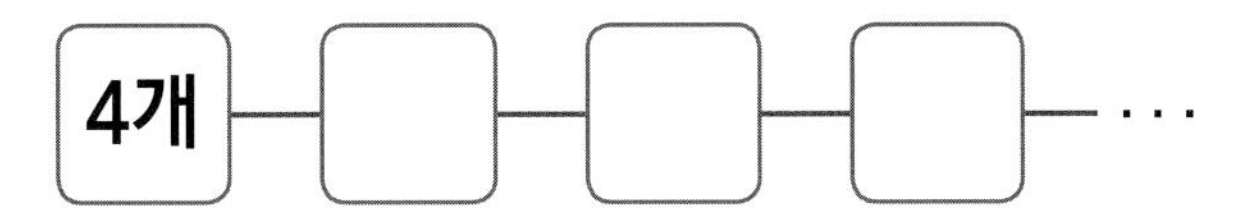

(2) ▢ 안에 알맞은 모양을 그리시오.

01 규칙을 찾아 ▢ 안에 알맞은 모양을 그리시오.

(1) ○ □ □ ☆ ○ □ □ ☆ ○ □ □ ☆ ▢ □ □ ☆

(2) ○ □ □ ☆ ♡ ○ □ □ ☆ ○ □ □ ○ □ ▢

02 규칙에 따라 모양이 반복되고 있습니다. ▢ 안의 모양 중 잘못된 것을 찾아 X표 하시오.

○ ■ □ ◆ ☆ ● □ ■ [◇] ★ [○] ■ □ ◆ [★] ● □ ■ ◇ ★

탐구주제

3 모양 유비 추론

이웃한 그림 카드를 3개씩 묶으면 공통된 특징이 있습니다.

선분으로 만든 모양　　같은 모양을 세로로 나열

○　□　△　△△　△△△　○○○

모양이 1개　　삼각형

□ 안에 공통된 특징의 기호를 써넣으시오. 단, □ 안의 기호는 서로 다르고, 카드의 그림도 서로 다릅니다.

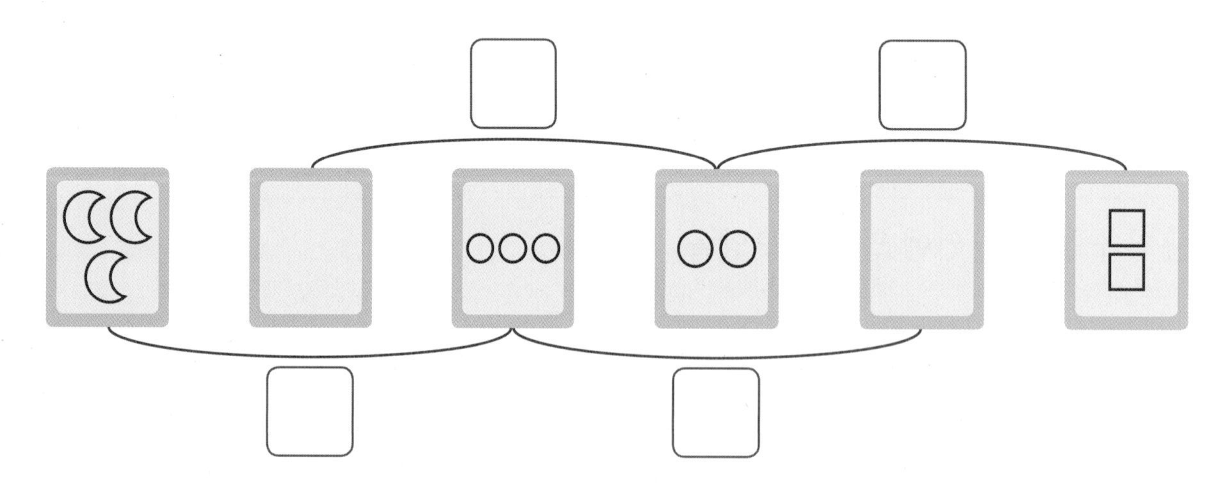

㉠ 모양이 3개　　㉡ 모양이 2개　　㉢ 원　　㉣ 같은 모양을 가로로 나열

위의 빈 카드에 알맞은 그림의 기호를 써넣으시오.

① ○○○　② □□□□　③)))(((　④ ▷▷

그림이 있는 두 카드의 공통점을 찾아 알맞은 카드를 골라야 해.

공통점으로는 모양, 개수, 배열…등 다양하게 생각할 수 있어!

탐구 유형 3-1 **그림 카드의 관계**

색깔이 같은 그림 카드 두 장 사이의 관계는 서로 같습니다.

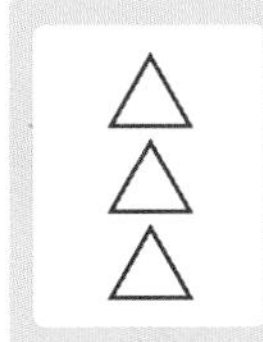 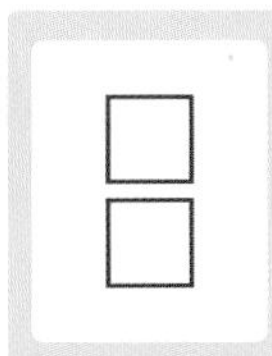 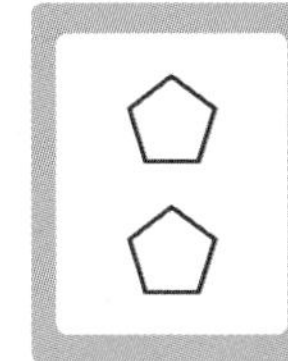 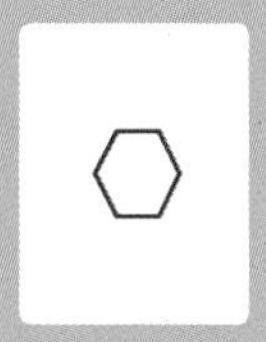

위와 같은 관계가 되도록 빈 카드에 그림을 알맞게 그리시오.

 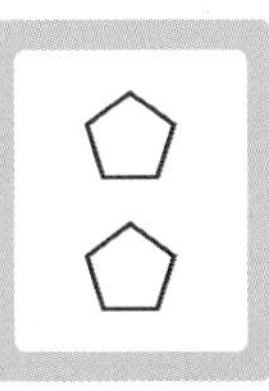

Point 왼쪽 카드와 오른쪽 카드 안의 도형의 개수, 도형의 변의 개수를 살펴봅니다.

(1) 왼쪽 카드에 도형이 몇 개 들어가는지 구하시오.

(2) 왼쪽 카드에 그림을 알맞게 그리시오.

연습

01 색깔이 같은 그림 카드 두 장 사이의 관계가 같도록 빈 주황색 카드의 그림을 완성하시오.

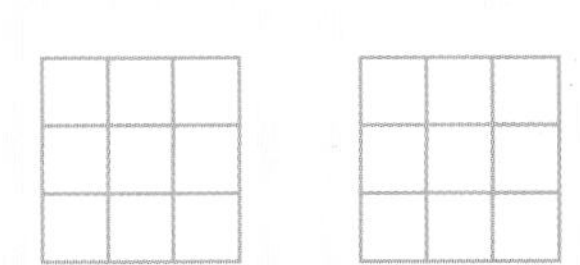  

연습 02 색깔이 같은 두 카드 사이의 관계가 다른 한 쌍을 찾아 ○표 하시오.

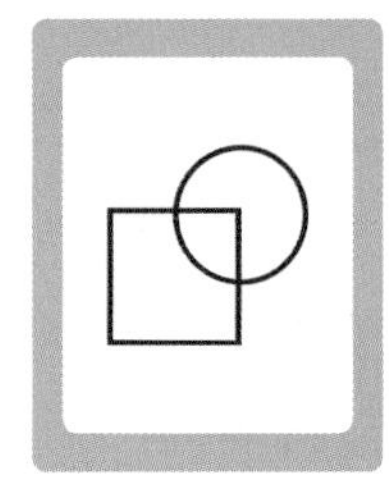
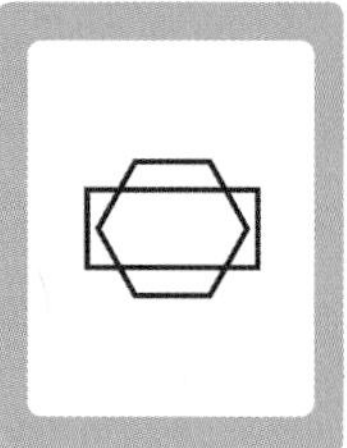

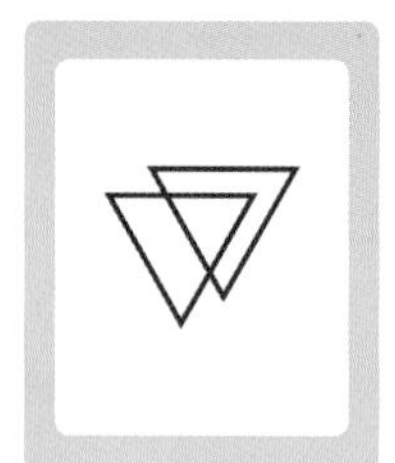
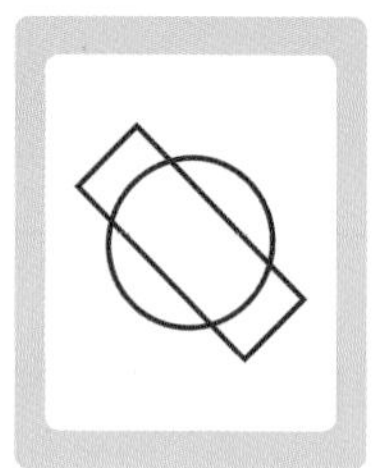

㉢

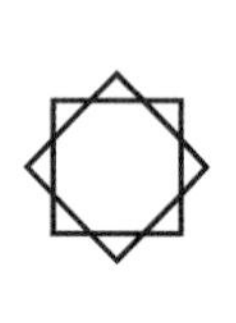

㉣

연습 03 색깔이 같은 그림 카드 두 장 사이의 관계가 같도록 연두색 카드의 그림을 완성하시오.

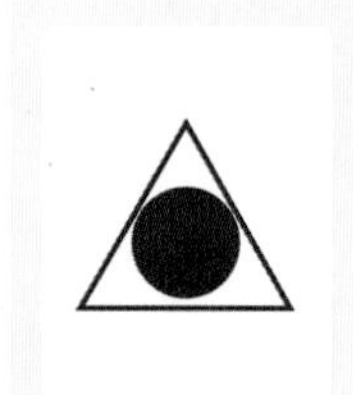
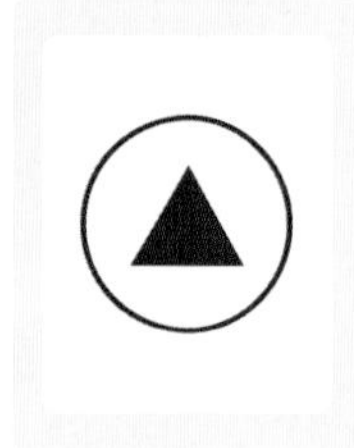

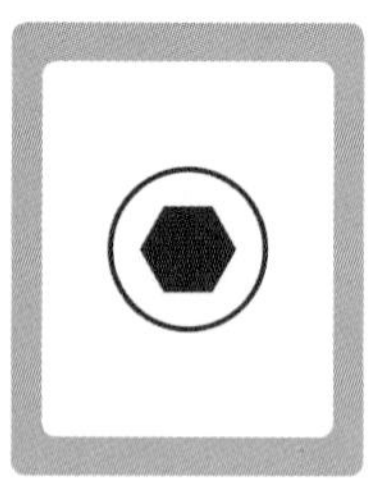

탐구 유형 3-2 공통점이 있는 카드

초록색 카드는 모두 댕댕이지만 파란색 카드는 모두 댕댕이가 아닙니다. 회색 카드 중 댕댕이에 모두 ○표 하시오.

Point 카드 속 모양들의 색깔을 살펴봅니다.

(1) 초록색 카드가 공통적으로 만족하는 조건을 찾으시오.

(2) 회색 카드 중 댕댕이에 모두 ○표 하시오.

연습

01 초록색 카드는 어떤 조건을 만족하지만 파란색 카드는 어떤 조건을 만족하지 않습니다. 초록색 카드가 공통적으로 만족하는 조건을 구하시오.

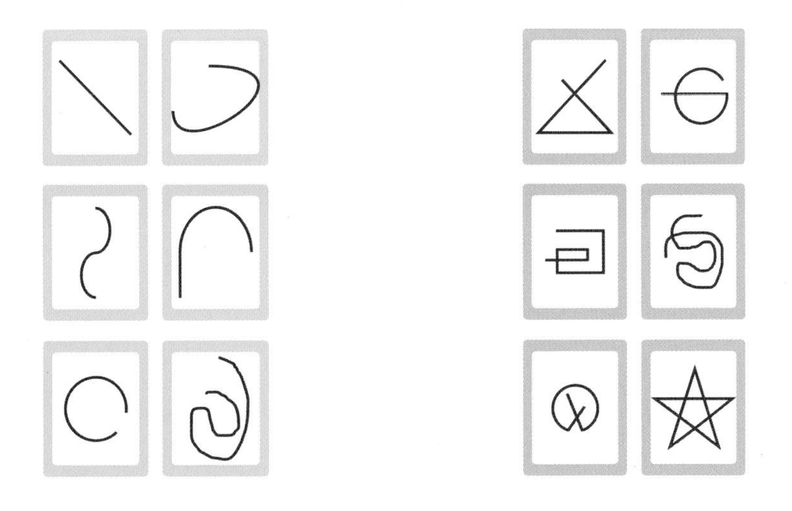

연습 02 초록색 카드는 어떤 조건을 만족하지만 파란색 카드는 어떤 조건을 만족하지 않습니다. 초록색 카드가 공통적으로 만족하는 조건을 구하시오.

(1)

(2)

(3)

(4)

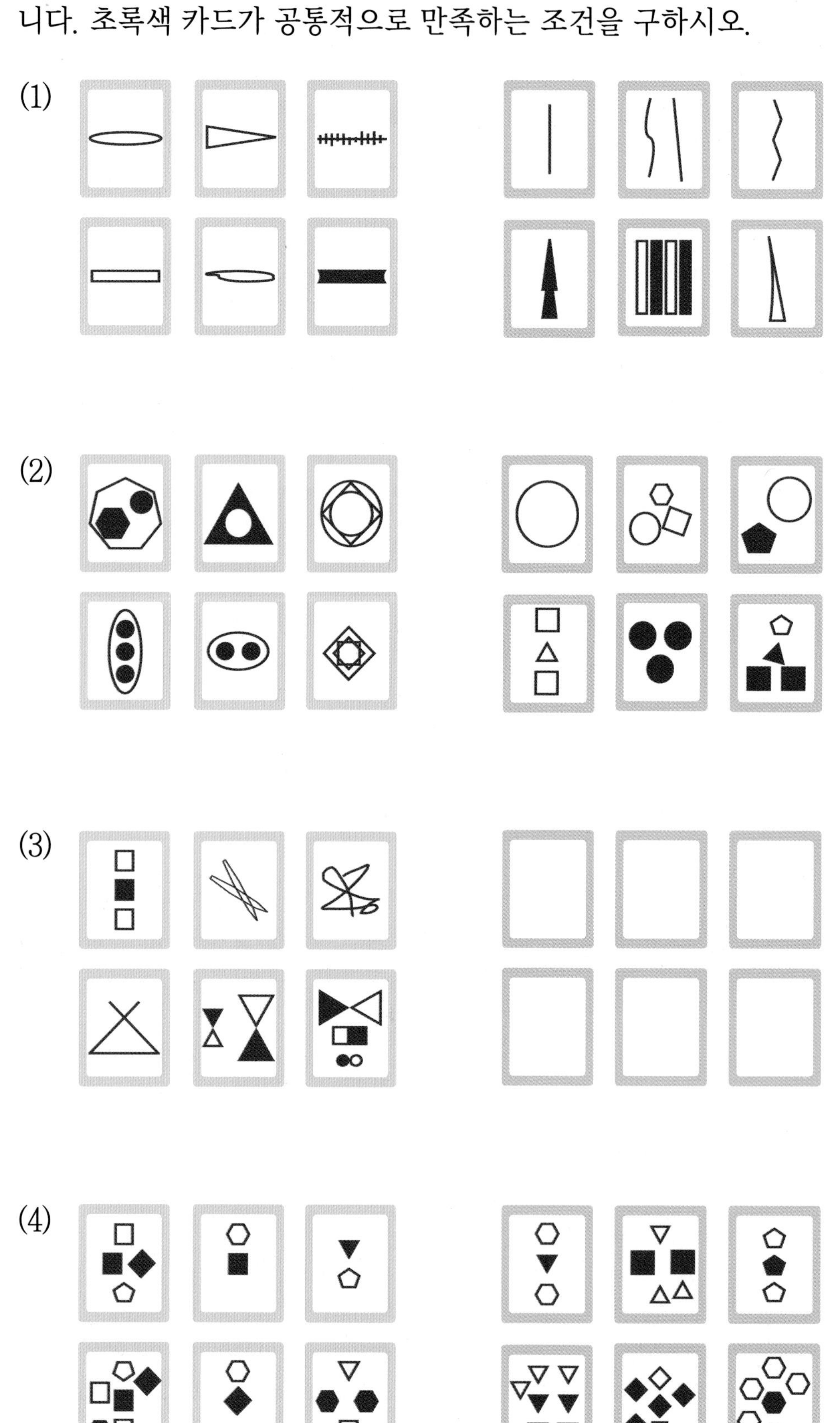

연습 03 초록색 카드와 파란색 카드를 한 장씩 골라 위치를 바꾸면 초록색 카드는 어떤 조건을 만족하고 파란색 카드는 어떤 조건을 만족하지 않게 됩니다. 위치를 바꾸어야 하는 카드를 한 장씩 찾아 ○표 하시오.

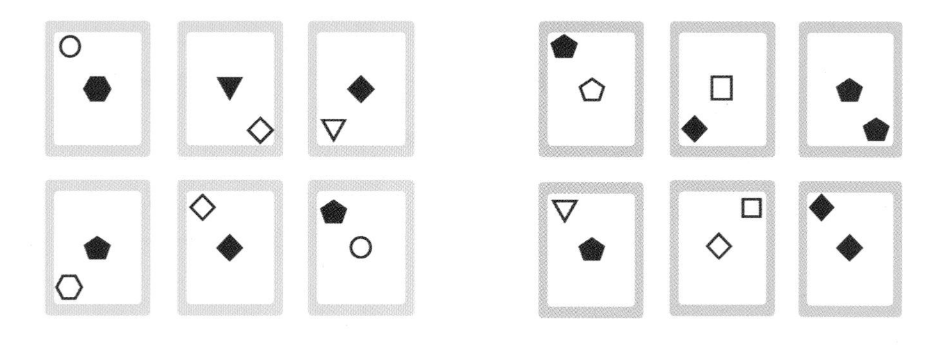

연습 04 주황색 카드는 모두 딩동댕이고 파란색 카드는 한 장만 딩동댕입니다. 파란색 카드 중 딩동댕인 것에 ○표 하시오.

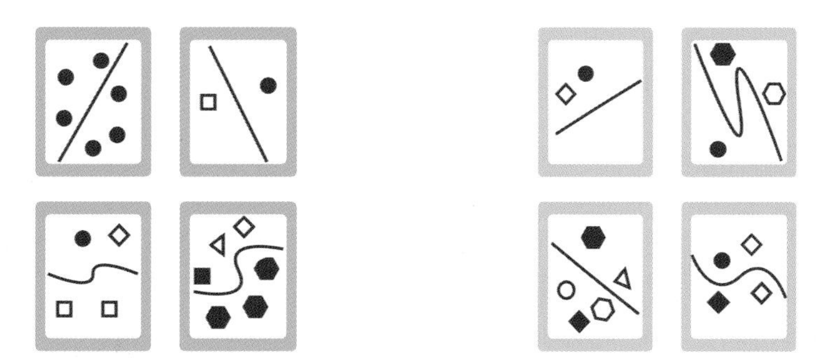

빨간색 칸이 한 칸 움직일 때마다 파란색 칸은 두 칸 움직입니다.

01 대관람차 2개가 규칙적으로 돌고 있습니다. □ 안에 있는 대관람차의 파란색 칸에 △표 하시오.

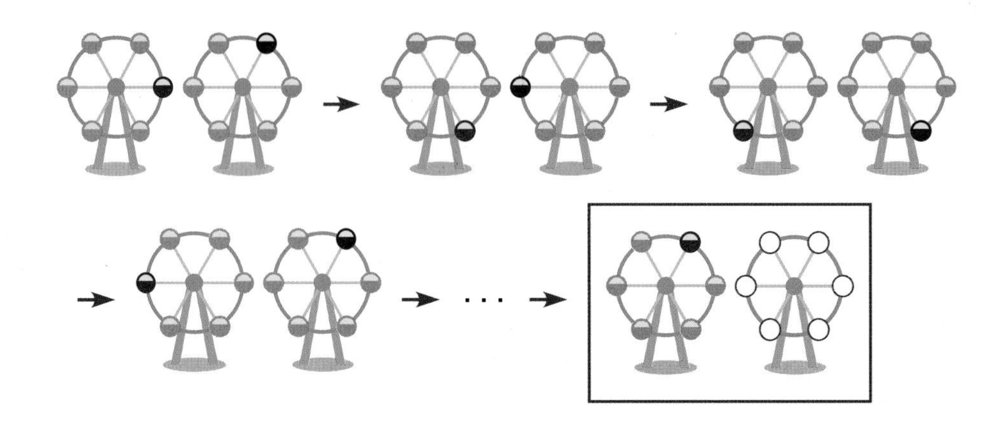

삼각형이 한 방향으로 돌고 있고 색깔도 규칙적으로 변하고 있습니다.

02 규칙에 따라 모양을 늘어놓을 때, □ 안에 알맞은 모양을 그리시오.

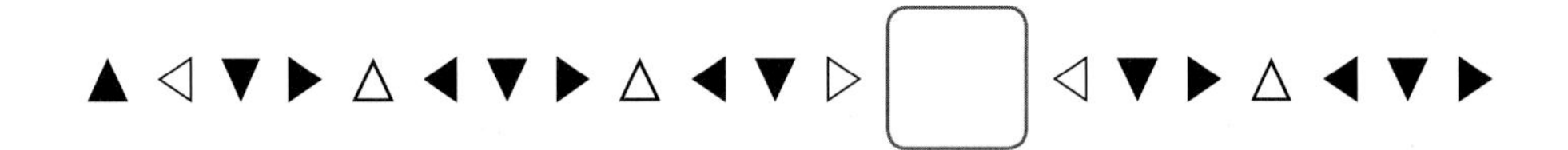

접는 선

03 조건 2개가 있습니다. 주황색 카드는 조건 2개를 모두 만족하고 초록색 카드는 조건 2개 중 1개만 만족하며 파란색 카드는 만족하는 조건이 없습니다. 조건 2개를 구하시오.

조건 하나는 모양의 개수와 관련된 것입니다.

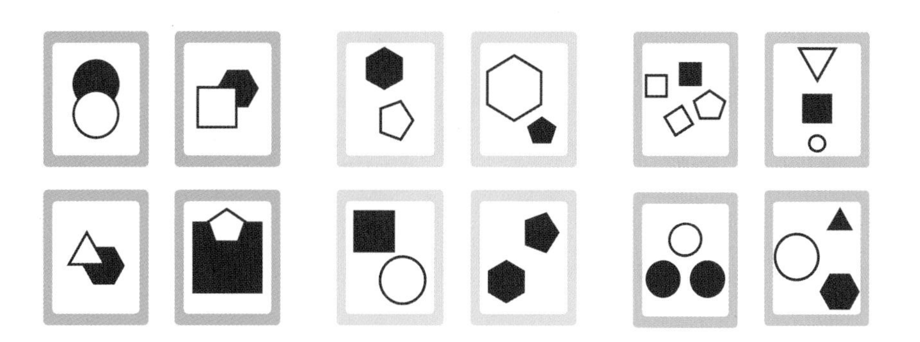

TOP of TOP

04 색칠된 칸이 규칙적으로 움직입니다.

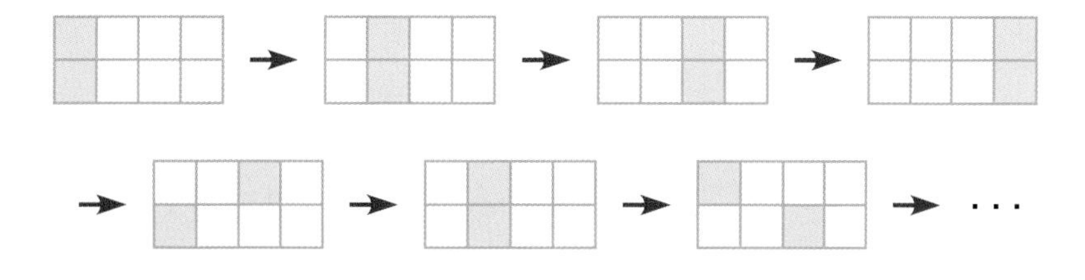

위와 같은 규칙이 되도록 ⬭ 안의 모양을 완성하시오.

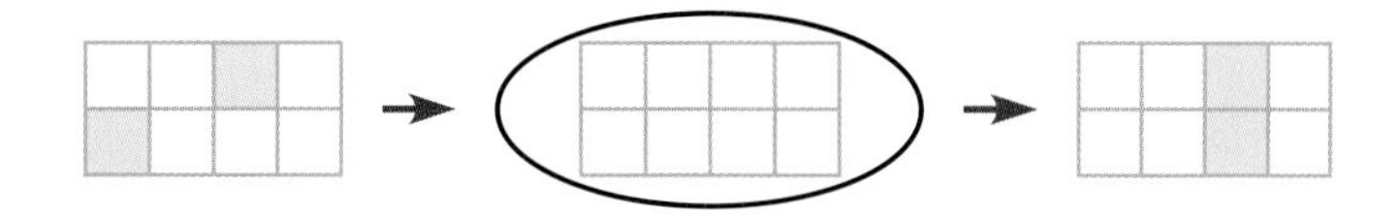

윗줄의 색칠된 칸은 한 칸씩 왼쪽 끝과 오른쪽 끝을 왕복합니다.

아랫줄의 색칠된 칸은 오른쪽으로 한 칸씩 움직이다가 오른쪽 끝에 가면 다시 맨 왼쪽으로 돌아옵니다.

접는 선

TOP 사고력 수학

3. 순서대로 나열하기

생각열기 선분의 개수

탐구주제 1. 순서대로 분류

1-1. 색칠하는 방법의 개수 / 순서대로 나열하기

1-2. 만들 수 있는 수의 개수 / 숫자 나열하기

2. 순서없이 세기

2-1. 무늬의 개수 / 똑같은 2개를 나열하기

2-2. 사각형의 개수 / 2개를 제외하고 나열하기

3. 합과 곱

3-1. 뽑기 당첨 / 합으로 개수 세기

3-2. 메뉴의 종류 / 합과 곱으로 개수 세기

TOP 사고력

선분의 개수

점과 점 사이를 이어 선분을 그릴 수 있습니다. 점의 위치가 다음과 같을 때 그릴 수 있는 선분의 개수를 구하려고 합니다.

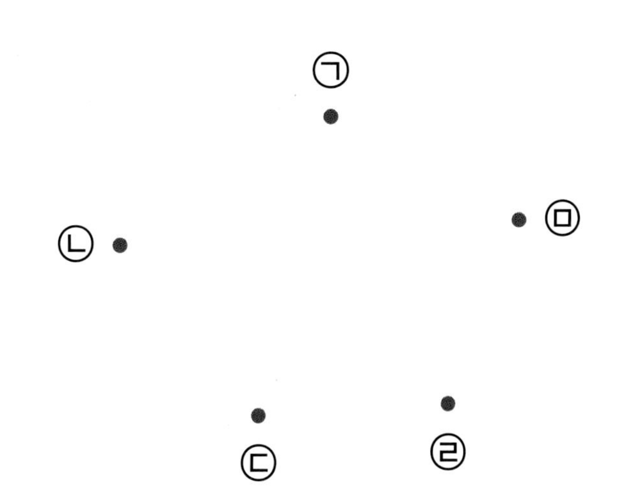

점 하나에서 그릴 수 있는 선분의 개수를 구하시오.

5개의 점 중에 2개를 이어 그릴 수 있는 선분의 개수를 구하시오.

㉠부터 ㉤까지 차례대로 선분을 화살표로 나타내보자. ㉠에서는 4개 그릴 수 있고 갈수록 화살표의 개수가 아래와 같이 하나씩 줄어. 결국 10개의 선분을 그릴 수 있지.

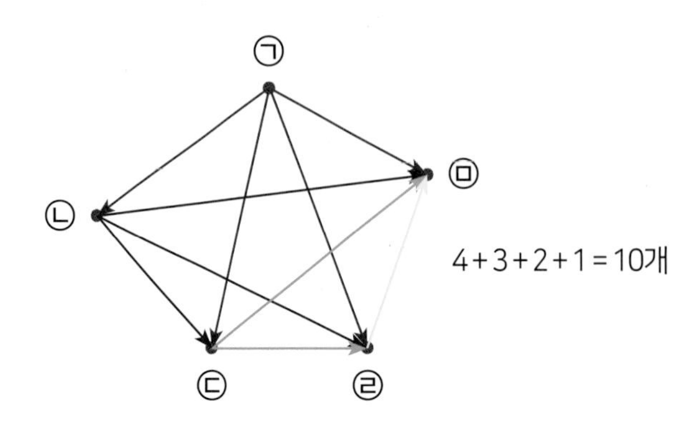

곱으로도 선분의 개수를 구할 수 있어. 각 점마다 4개의 선분을 그릴 수 있고 점의 개수는 5개이니 $4\times5=20$(개)와 같아. 선분은 두 점 사이를 이은 것이기 때문에 같은 선분을 두 번 세었고, 선분의 개수는 20개를 반으로 나눈 10개야.

방법과 모양의 개수를 셀 때는 중복 없이 세는 것이 중요해!

다음 조건을 만족하게 선분을 그렸습니다. 선분의 개수를 구하시오.

㉠ : ㉢과 연결했고 다른 점과는 연결하지 않았습니다.
㉡ : 점 3개와 연결했습니다.
㉢ : 점 4개와 연결했습니다.
㉣, ㉤: 점 2개와 연결했습니다.

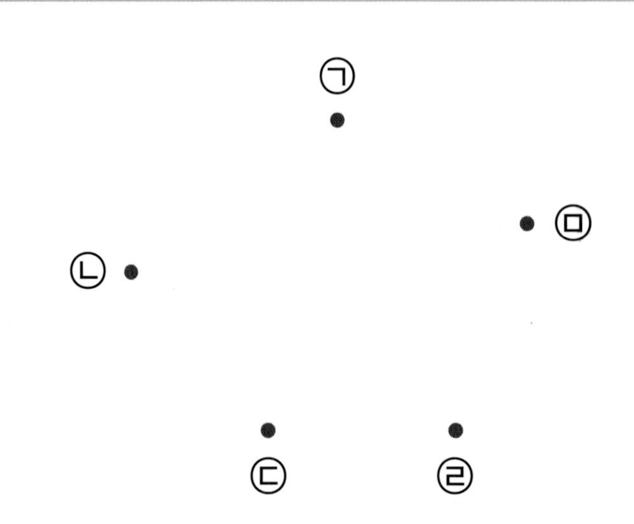

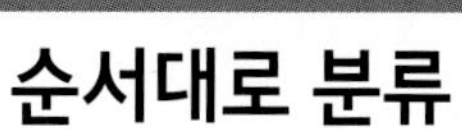

순서대로 분류

깜이, 냥이, 송연이가 가위바위보를 할 때 나올 수 있는 결과를 선을 그려 알아봅시다. 오른쪽 그림은 깜이가 가위 또는 바위를 냈을 때 냥이가 낼 수 있는 방법을 선을 그려 나타낸 것입니다.

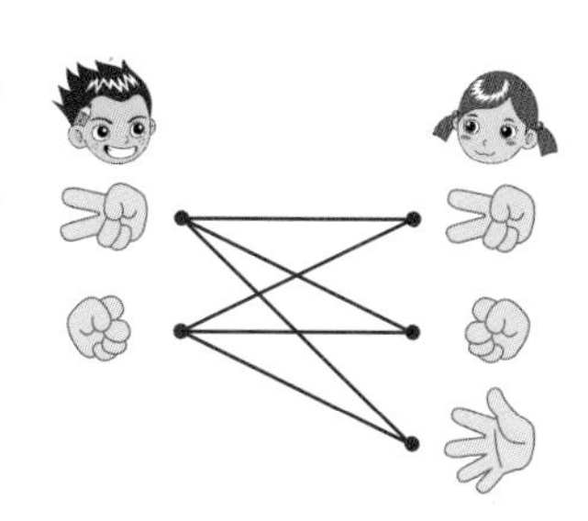

송연이가 가위를 냈을 때 깜이, 냥이가 낼 수 있는 방법이 몇 가지 있는지 구하시오.

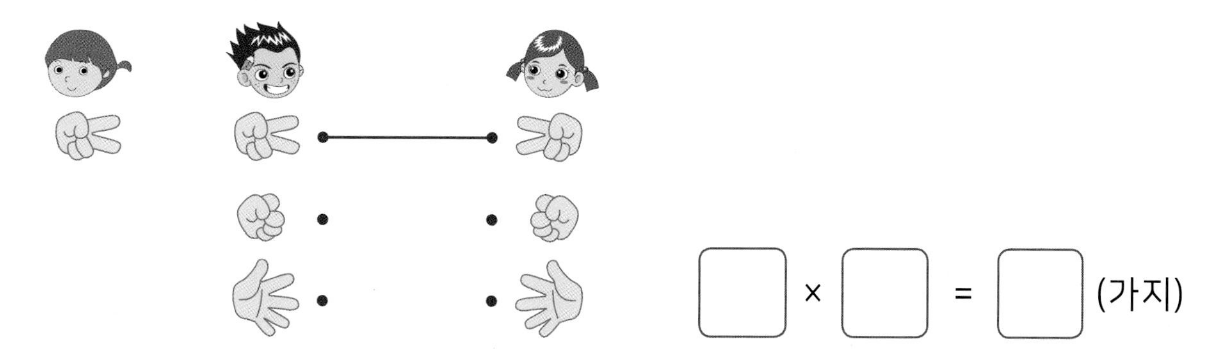

송연이가 바위, 보를 냈을 때 깜이, 냥이가 낼 수 있는 방법이 몇 가지 있는지 구하시오.

깜이, 냥이, 송연이가 가위바위보를 할 때 나올 수 있는 결과가 몇 가지 있는지 곱셈식을 만들어 구하시오.

송연이가 어떤 것을 내도 깜이, 냥이가 낼 수 있는 방법의 개수는 똑같아.

순서대로 분류

깜이, 냥이가 과자 4개 중 하나씩만 골라 먹으려고 합니다.

깜이가 먼저 과자 하나를 고르고 냥이가 남은 과자 중 하나를 고릅니다. 깜이와 냥이가 고른 과자가 서로 다르도록 선으로 연결하시오.

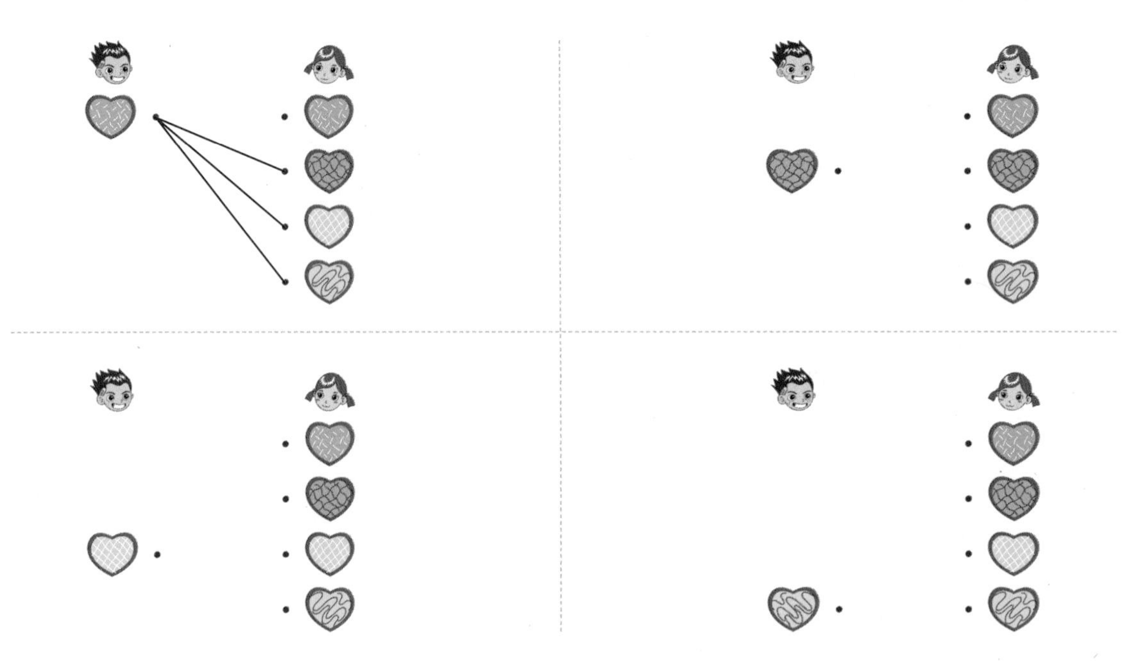

깜이와 냥이가 과자를 고르는 방법은 모두 몇 가지인지 곱셈식을 만들어 구하시오.

☐ × ☐ = ☐ (가지)

깜이가 과자를 하나 고르면 냥이가 고를 수 있는 과자는 하나 줄어들지?

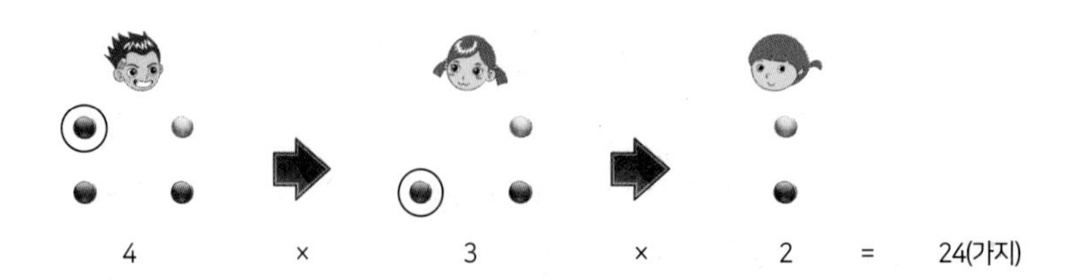

앞 사람이 고른 물건은 뒤 사람이 고를 수 없어. 뒤 사람으로 갈수록 고를 수 있는 구슬이 하나씩 줄어들지.

탐구 유형 1-1 색칠하는 방법의 개수

다음과 같이 4칸 중 서로 다른 칸에 파란색, 빨간색을 한 칸씩 칠하는 방법은 몇 가지인지 구하시오.

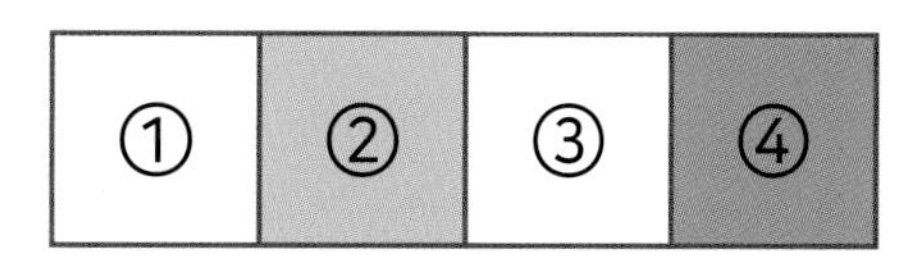

Point 파란색의 위치를 먼저 정하고 그에 따라 빨간색의 위치를 찾습니다.

(1) 먼저 파란색을 칠하면 남은 칸에 빨간색을 칠할 수 있습니다. 다음은 두 색깔을 칠하는 위치를 기호로 나타낸 것입니다.

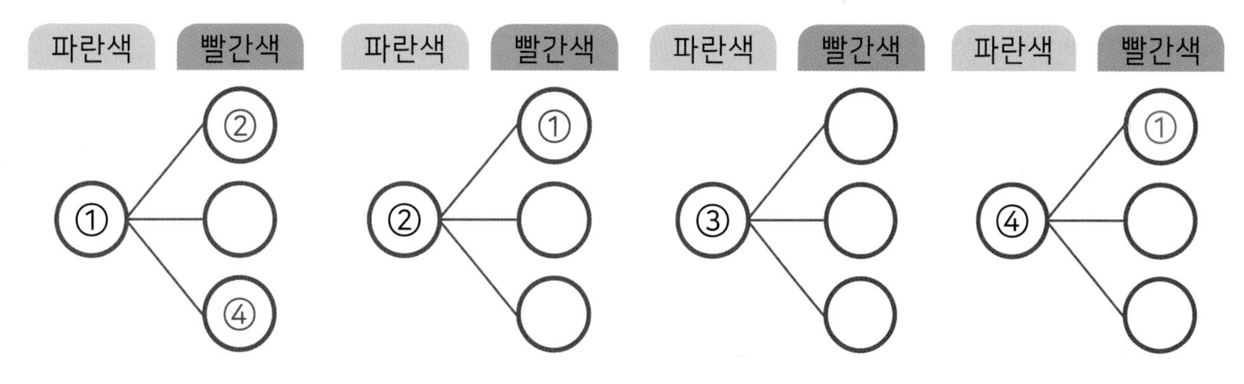

빈 ○ 안에 빨간색의 위치를 기호로 쓰시오.

(2) 두 가지 색을 칠하는 방법은 모두 몇 가지인지 곱셈식을 세워 구하시오.

□ × □ = □ (가지)

연습

01 효진이와 기범이가 한 줄로 놓인 의자에 하나씩 앉으려고 합니다. 두 명이 의자에 앉는 방법은 모두 몇 가지인지 곱셈식을 세워 구하시오.

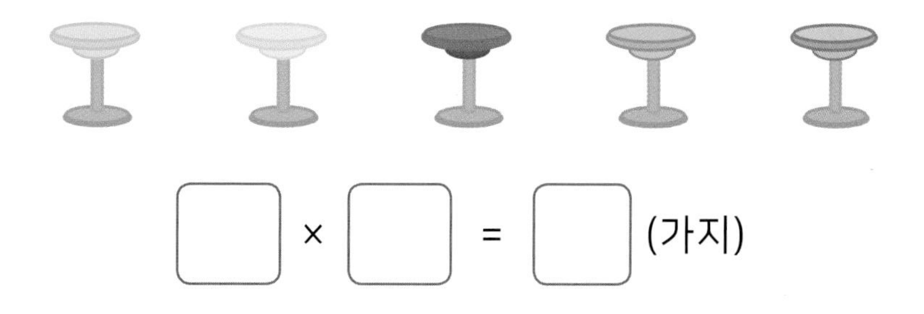

□ × □ = □ (가지)

연습 02 색깔이 다른 공 6개 중 2개를 골라 ㉠, ㉡ 상자에 하나씩 넣는 방법이 몇 가지인지 곱셈식을 세워 구하시오.

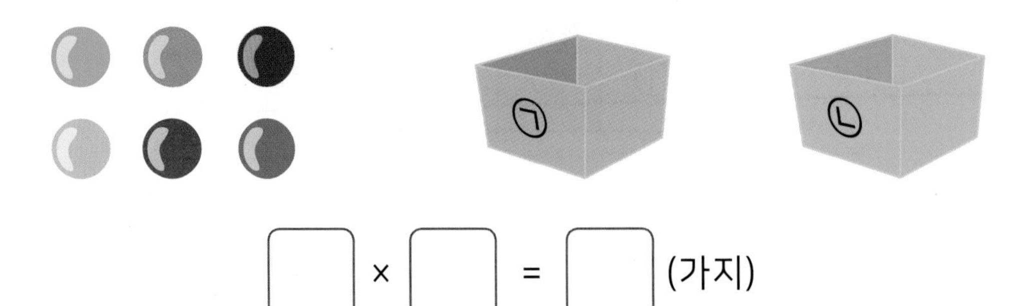

□ × □ = □ (가지)

연습 03 다음과 같이 3칸 중 서로 다른 칸에 빨간색, 파란색, 노란색을 한 칸씩 칠하는 방법은 몇 가지인지 곱셈식을 세워 구하시오.

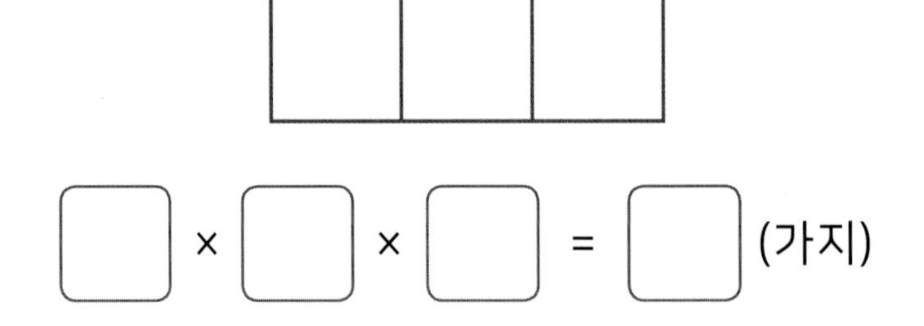

□ × □ × □ = □ (가지)

탐구 유형 1-2 만들 수 있는 수의 개수

십의 자리와 일의 자리의 숫자가 서로 다른 두 자리 수의 개수를 구하시오.

Point 십의 자리에 들어가는 숫자는 일의 자리에 올 수 없습니다.

(1) 십의 자리에 올 수 있는 숫자의 개수를 구하시오.

십의 자리: ☐ 개

(2) 십의 자리에 온 숫자를 제외하고 일의 자리에 올 수 있는 숫자의 개수를 구하시오.

일의 자리: ☐ 개

(3) 두 자리 수 중 십의 자리와 일의 자리의 숫자가 서로 다른 두 자리 수의 개수를 구하시오.

연습

01 보라색 숫자 카드로 십의 자리 숫자를, 주황색 숫자 카드로 일의 자리 숫자를 만들려고 합니다. 십의 자리와 일의 자리의 숫자가 서로 다른 두 자리 수의 개수를 구하시오.

1 3 4 7

1 3 4 7 9

2 순서없이 세기

두 명을 고를 때 점과 점 사이에 선분을 그려 그림으로 표현할 수 있습니다.

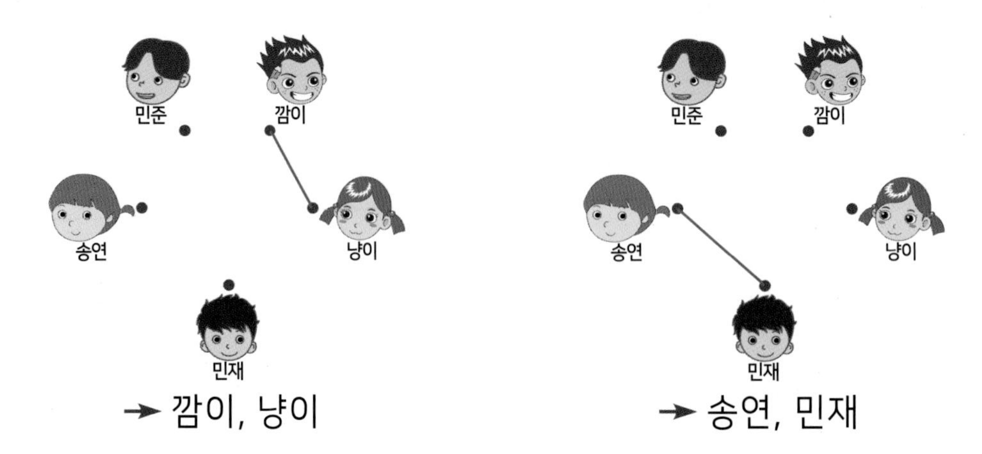

선분을 그리는 방법으로 5명 중 수학 경시대회에 나갈 대표 3명을 뽑는 방법을 생각해 봅시다.

5명 중 대표로 뽑히지 않는 2명을 고르는 방법은 몇 가지인지 구하시오.

5명 중 대표로 뽑히는 3명을 고르는 방법은 몇 가지인지 구하시오.

5명 중 뽑히지 않는 2명을 먼저 고르면 뽑히는 3명도 정해져. 결국 5명 중 대표 3명을 뽑는 가짓수와 대표가 아닌 2명을 뽑는 가짓수는 같아.

만약 구슬 6개 중 4개를 뽑을 때 뽑는 구슬 4개를 골라도 되지만 뽑히지 않는 구슬 2개를 고르면 나머지 4개는 뽑히는 구슬이 되는 것과 같아.

탐구 유형 2-1 **무늬의 개수**

4개의 사각형 중 2개에 검은색을 칠해 만들 수 있는 서로 다른 무늬는 몇 가지인지 구하시오.

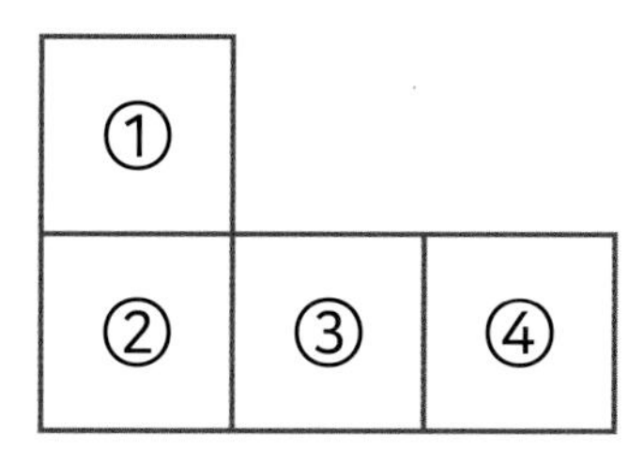

Point 똑같은 두 칸을 칠하면 같은 무늬가 나옵니다.

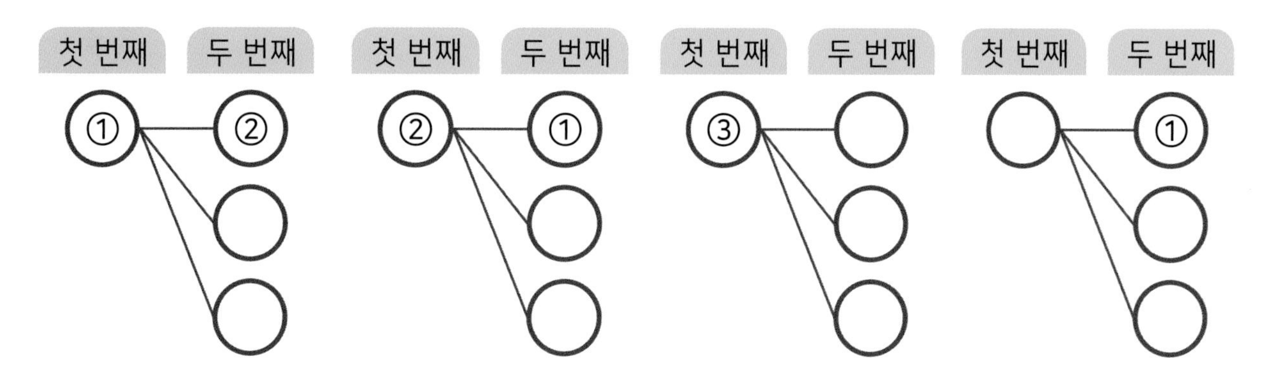

(1) ○안에 첫 번째, 두 번째로 검은색을 칠하는 위치의 기호를 쓰시오.

(2) 아래에서 왼쪽과 오른쪽은 둘 다 ①, ②번을 칠했기 때문에 똑같은 무늬가 나옵니다. 이와 같이 같은 무늬가 나오는 방법 중 하나에 X표 하시오.

(3) 사각형 2개를 검은색으로 칠해 만들 수 있는 서로 다른 무늬는 몇 가지인지 구하시오.

연습 01 점선 2개를 따라 그려 만들 수 있는 서로 다른 모양의 개수를 구하시오. 단, 모양을 뒤집거나 돌리지 않습니다.

연습 02 이웃하지 않은 두 꼭짓점을 이은 선분을 대각선이라고 합니다. 육각형의 대각선의 개수를 구하시오.

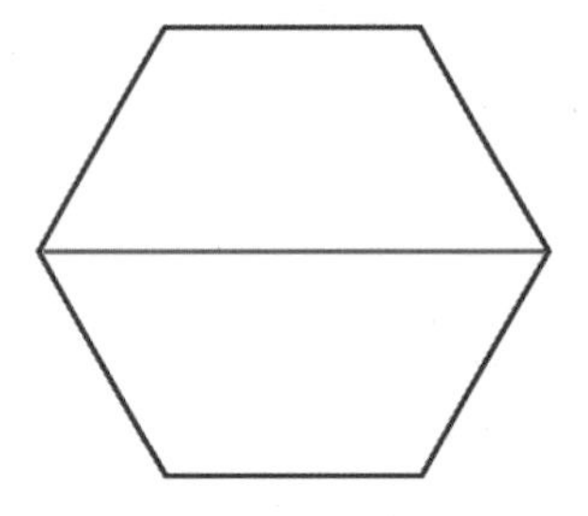

탐구 유형 2-2 사각형의 개수

6개의 점 중 4개의 점을 이어 그릴 수 있는 사각형의 개수를 구하시오.

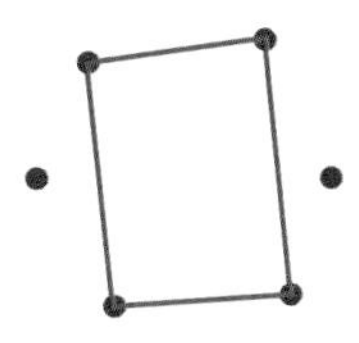

Point 6개의 점 중에서 4개를 선택하는 가짓수와 2개를 선택하는 가짓수는 같습니다..

01 7개의 전구 중 5개를 켜는 방법은 몇 가지인지 구하시오.

02 검은색으로 6칸 칠해 만들 수 있는 무늬는 몇 가지인지 구하시오.

①	②	③	④
⑤	⑥	⑦	⑧

3 합과 곱

다음 방법 중 하나로 두 자리 수를 만듭니다.

① 보라색 카드는 십의 자리 숫자로, 주황색 카드는 일의 자리 숫자로 사용합니다.
② 파란색 카드의 수를 사용합니다.

①의 방법으로 보라색 카드 한 장마다 만들 수 있는 두 자리 수의 개수를 구하시오.

1 : □ 개　2 : □ 개　3 : □ 개

보라색, 주황색 카드로 만들 수 있는 두 자리 수의 개수를 구하시오.

②의 방법으로 만들 수 있는 두 자리 수의 개수를 구하시오.

두 가지 방법으로 만들 수 있는 두 자리 수의 개수를 모두 구하시오.

파란색 카드로 두 자리 수를 만들 때는 보라색, 주황색 카드를 쓸 수 없고 반대의 경우도 마찬가지야.

탐구 유형 3-1 **뽑기 당첨**

1부터 10까지 적힌 뽑기가 있습니다. 뽑기 중 짝수나 3 또는 7을 뽑으면 당첨됩니다. 뽑기에 당첨되는 방법은 모두 몇 가지인지 구하시오.

Point 3, 7은 짝수가 아니기 때문에 짝수를 뽑은 경우에는 3이나 7을 뽑을 수 없습니다.

(1) 짝수를 뽑는 방법은 몇 가지인지 구하시오.

(2) 3 또는 7을 뽑는 방법은 몇 가지인지 구하시오.

(3) 당첨되는 경우는 몇 가지 있는지 구하시오.

연습 01 깜이 집에서 병원, 학교, 도서관으로 가는 길은 각각 3개, 4개, 5개이고 병원, 학교, 도서관에서 냥이 집으로 가는 길은 각각 1개입니다. 깜이가 병원이나 학교, 도서관을 거쳐 냥이 집으로 가는 방법은 몇 가지인지 구하시오.

연습 02 책상 위에 있는 위인전, 동화책, 백과사전 중에서 한 권을 고르는 방법은 12가지가 있습니다. 책상 위에 동화책은 4권, 백과사전은 5권이 있을 때 위인전은 몇 권이 있는지 구하시오.

탐구 유형 3-2 **메뉴의 종류**

햄버거 가게에서 햄버거와 추가 메뉴가 각각 하나씩 포함된 햄버거 세트를 주문하거나 치킨 하나를 주문할 수 있습니다. 다음은 이 햄버거 가게의 메뉴판입니다.

메뉴판		
햄버거 세트		치킨
햄버거	추가 메뉴	
불고기버거	감자튀김	후라이드치킨
치즈버거	치즈스틱	양념치킨
치킨버거	마늘바게트	간장치킨
더블버거	옥수수샐러드	마늘치킨

메뉴판을 보고 주문하는 방법은 몇 가지인지 구하시오.

Point 햄버거 세트를 주문할 때 어떤 햄버거를 주문해도 주문할 수 있는 추가 메뉴의 개수는 같습니다.

(1) 햄버거 하나를 주문할 때 주문할 수 있는 추가 메뉴의 개수를 구하시오.

(2) 햄버거 세트를 주문할 수 있는 방법은 몇 가지인지 구하시오.

(3) 치킨을 주문할 수 있는 방법은 몇 가지인지 구하시오.

(4) 햄버거 가게에서 주문할 수 있는 방법은 모두 몇 가지인지 구하시오.

연습 01 계란라면, 떡라면, 치즈라면 중 하나와 햄김밥, 참치김밥, 새우김밥, 치즈김밥 중 하나를 골라 세트메뉴를 만들려고 합니다. 만들 수 있는 세트 메뉴는 모두 몇 가지인지 구하시오.

연습 02 예진이의 옷장에는 셔츠 5장, 바지 4장, 원피스 6벌이 있습니다. 셔츠와 바지를 하나씩 입는 방법이 있고 원피스만 입는 방법이 있습니다. 예진이가 옷을 입는 방법은 몇 가지인지 구하시오.

연습 03 깜이 집에서 학교로 가는 길은 4개, 학교에서 냥이 집으로 가는 길은 3개입니다.

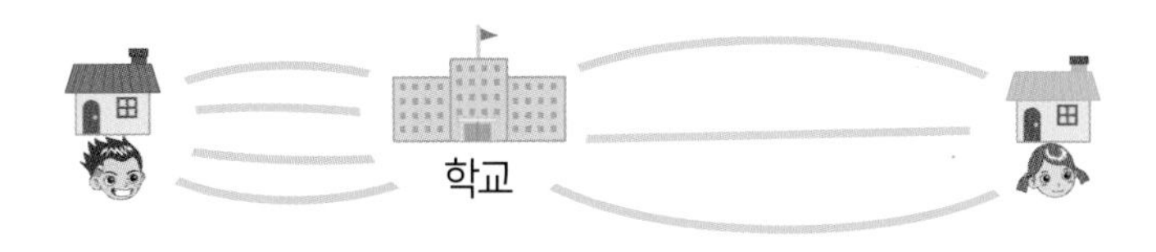

깜이 집에서 학교를 거치지 않고 냥이 집으로 바로 가는 길을 그려 깜이 집에서 냥이 집으로 가는 방법이 15가지가 되게 하시오.

1, 1, 4를 고르거나 1, 2, 4를 고르면 식의 값이 4의 배수가 되는 곱셈식을 만들 수 있습니다.

01 4장의 숫자 카드 중 3장을 골라 곱셈식을 만듭니다.

식의 값이 4의 배수가 되는 방법은 몇 가지인지 구하시오. 단, 같은 수를 곱해도 카드의 순서가 다르면 다른 방법으로 셉니다.

세 번째 칸을 제외한 6개의 사각형 중 2개를 칠할 수 있습니다.

02 냥이가 사각형 중 두 개를 노란색으로 칠하려고 하는데 왼쪽에서 세 번째 칸은 칠하지 않으려고 합니다. 색칠하는 방법은 모두 몇 가지인지 구하시오.

접는 선

03 수빈이 집에서 놀이터까지 가는 길은 4개, 찬혁이 집에서 수빈이 집까지 바로 가는 길은 3개 있습니다.

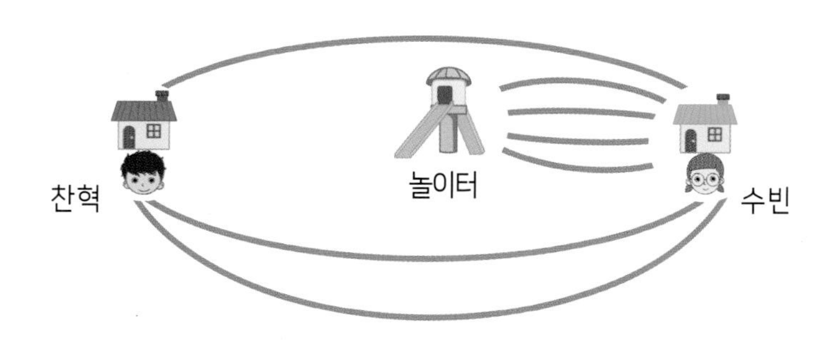

찬혁이 집에서 놀이터까지 가는 길을 그려 찬혁이 집에서 수빈이 집으로 가는 방법이 19가지가 되게 하시오.

찬혁이 집에서 놀이터를 거쳐 수빈이 집으로 가는 방법은 16가지 있습니다.

TOP of TOP

04 6개의 점 중에 3개를 골라 삼각형을 그리는 방법은 몇 가지인지 구하시오.

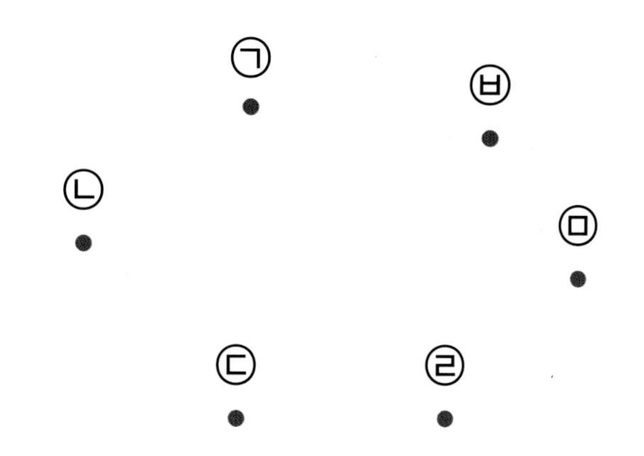

기호 6개를 순서대로 3개 고르는 방법을 생각합니다.

예를 들어 ㉠, ㉡, ㉢을 꼭짓점으로 하는 삼각형을 그릴 때 점을 고르는 순서는 무관합니다.

접는 선

TOP 사고력 수학

4. 리그와 토너먼트

월드컵 예선전

월드컵 예선전은 한 조에 속한 4개 국가가 서로 한 번씩 경기하는 방식인 리그전으로 진행됩니다. A조에 속한 스웨덴, 멕시코, 독일, 한국의 경기 결과를 알아봅시다.

A조에서 열리는 경기 수를 구하시오.

A조의 결과를 정리한 표에서 한국의 성적만 지워져 있습니다. 빈칸을 채워 한국이 몇 승 몇 패를 했는지 구하시오.

국가 \ 결과	승	패
한국		
독일	1	2
스웨덴	2	1
멕시코	2	1

무승부가 없다면 누군가 패한 만큼 누군가는 승리했겠지?

축구는 2팀이 하기 때문에 경기 수는 2개 국가를 뽑는 방법의 개수와 같아. 4개 국가가 서로 한 번씩 경기하므로 다음과 같이 선을 그려 알 수 있어.

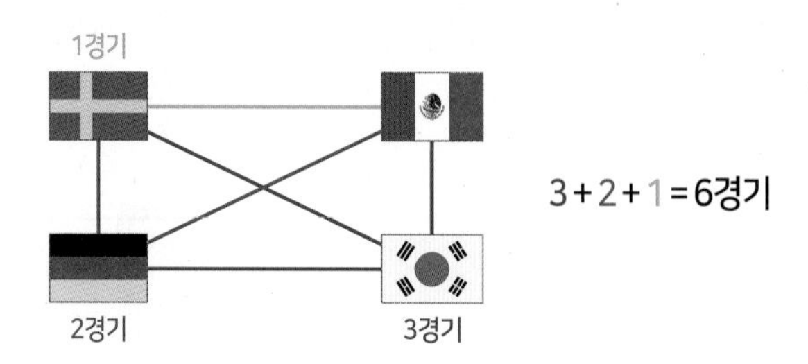

무승부가 없으니 6경기를 하면 이긴 팀도 6팀, 진 팀도 6팀 있겠지? 6에서 다른 국가의 승 또는 패를 빼서 한국의 성적을 구할 수 있어.

6승 = 1승(독일) + 2승(스웨덴) + 2승(멕시코) + □승(한국)
➔ 한국 1승

6패 = 2패(독일) + 1패(스웨덴) + 1패(멕시코) + ■패(한국)
➔ 한국 2패

결과 / 국가	승	패
한국	1	2
독일	1	2
스웨덴	2	1
멕시코	2	1

리그전에 참가하는 국가의 수를 알면 전체 경기 수도 알 수 있고 경기 수를 이용해서 다른 국가의 성적도 알 수 있어!

리그전 결과를 정리한 표에서 영국과 튀니지 중 한 국가의 성적이 잘못되었습니다. 성적이 잘못된 국가에 △표 하고 오른쪽 표에 맞는 결과를 써넣으시오.

결과 / 국가	승	패
벨기에	3	0
영국	3	0
튀니지	1	2
파나마	0	3

결과 / 국가	승	패
벨기에	3	0
영국		
튀니지		
파나마	0	3

경기의 수

토너먼트는 출전한 팀을 두 팀씩 묶어 경기하고 이긴 팀끼리 다시 경기하여 우승을 가리는 경기 방식입니다. ①번 팀과 ②번 팀이 경기해서 ①번 팀이 이기고, 다시 ①번 팀이 ③번 팀과 경기해서 ①번 팀이 우승하는 토너먼트 경기를 다음과 같이 표현할 수 있습니다.

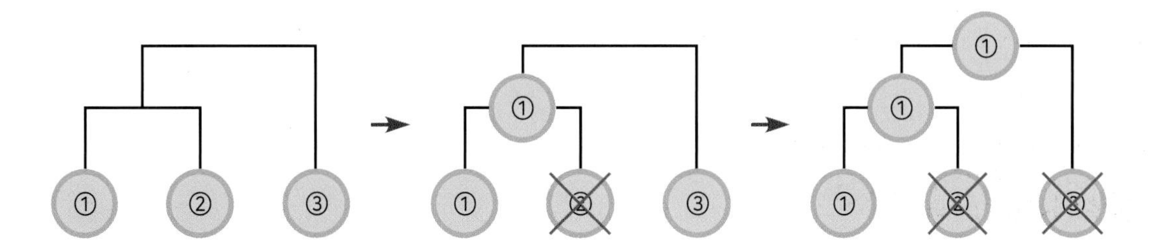

이처럼 토너먼트 경기에서 우승하기 위해 치러야 하는 경기 수는 팀마다 다를 수 있습니다. ③번 팀은 다른 경기 없이 ①번 팀과 ②번 팀의 승자와 겨루게 되는데 이 경우 ③번 팀이 부전승을 거두었다고 말합니다.

위와 같이 탈락하는 팀에 X표 한다면 4팀이 참가하는 토너먼트 대진표에는 X표를 몇 번 해야 하는지 구하시오.

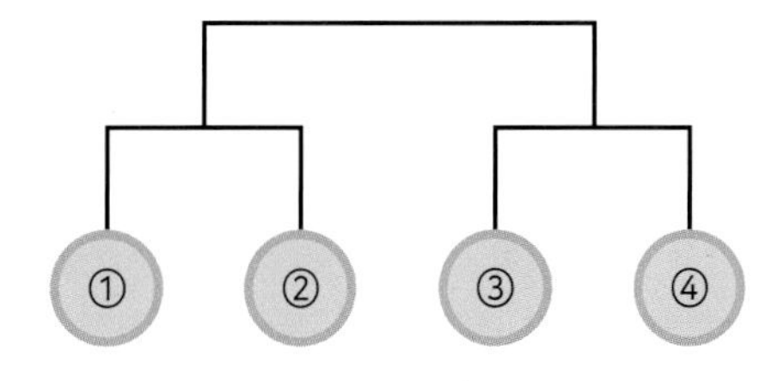

①번 팀에서 ④번 팀까지 4팀이 참가하는 토너먼트 경기에서 우승팀 한 팀을 결정하기 위해 몇 경기를 해야 하는지 구하시오.

탈락하는 팀이 한 팀 생길 때마다 X표를 해야 해. 물론 우승팀 한 팀을 남기기 위해서는 X표 하지 않은 팀이 하나 남겠지?

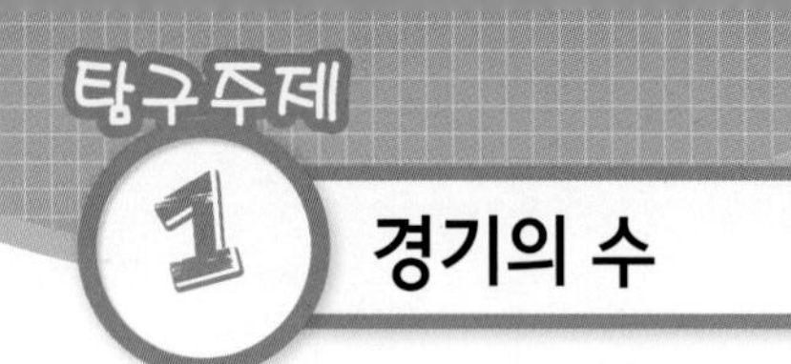

경기의 수

탐구 유형 1-1 토너먼트 경기 우승자

다음은 5팀이 참가하는 토너먼트 방식의 대진표입니다. 우승팀 한 팀을 결정하기 위해 모두 몇 경기를 해야 하는지 구하시오.

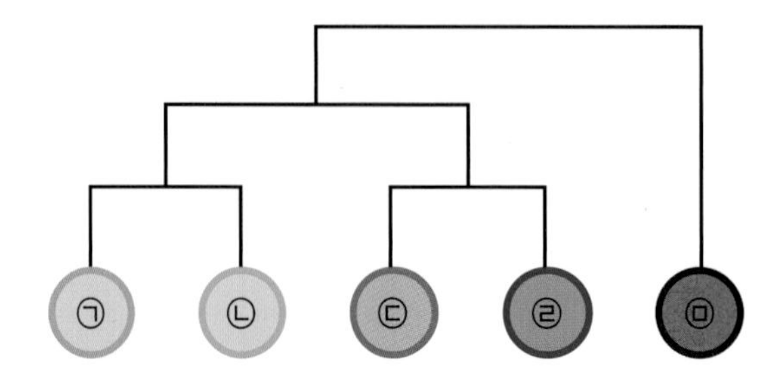

Point 한 경기 할 때마다 탈락하는 팀이 하나씩 생깁니다.

(1) 대회에서 탈락하는 팀은 몇 팀이 생기는지 구하시오.

(2) 우승팀을 결정하기 위해 모두 몇 경기를 해야 하는지 구하시오.

연습

01 독일, 프랑스, 덴마크, 이탈리아, 잉글랜드, 스웨덴 6개 국가가 모여 토너먼트 방식으로 축구 경기를 합니다. 우승팀이 결정될 때까지 모두 몇 경기를 해야 하는지 구하시오.

연습 02 토너먼트 방식의 농구 대회에서 우승팀이 결정될 때까지 9경기를 했습니다. 모두 몇 팀이 대회에 참가했는지 구하시오.

연습 03 3, 4위전은 토너먼트 경기 중 준결승전에서 탈락한 두 팀이 3위, 4위를 결정하기 위해 하는 경기입니다. 8개의 탁구팀이 우승뿐 아니라 3, 4위를 결정하려면 모두 몇 경기를 해야 하는지 구하시오.

연습 04 각 조의 우승자를 결정하는 토너먼트 방식의 야구 대회가 열립니다. 12개의 참가팀을 한 조에 6팀씩 나누고 경기를 한다면 모두 몇 경기를 해야 하는지 구하시오.

탐구 유형 1-2 국가 대표 선발전

10명의 태권도 선수들을 한 조에 5명씩 나누고 각 조는 리그전으로 경기를 진행합니다. 각 조의 1위를 국가 대표로 뽑는다고 할 때 모두 몇 경기를 해야 하는지 구하시오.

Point 먼저 한 조에서 하는 경기 수를 구합니다.

(1) ㉠과 ㉡이 하는 경기를 아래와 같이 점 ㉠, ㉡을 연결한 선으로 표현할 수 있습니다. 5명이 리그전으로 경기를 할 때 점과 점을 이어 그릴 수 있는 선의 개수를 세어 모두 몇 경기를 하는지 구하시오.

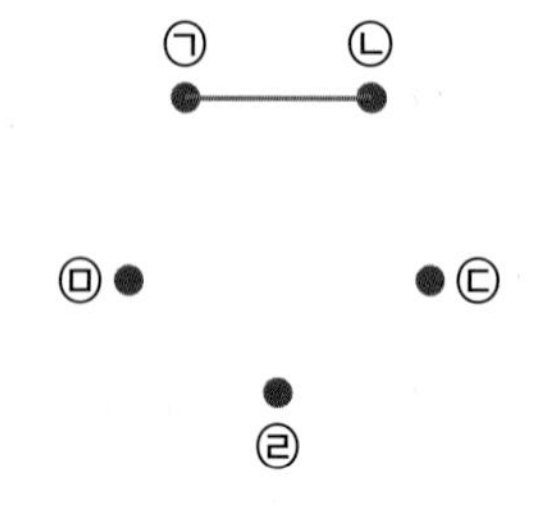

(2) 2명의 국가 대표를 뽑기 위해 모두 몇 경기를 해야 하는지 구하시오.

연습 01 WBC는 16개 국가가 참가하는 야구 대회입니다. 먼저 예선전은 한 조에 4팀씩 나누고 각 조는 리그전으로 경기를 진행합니다. 예선전은 모두 몇 경기를 해야 하는지 구하시오.

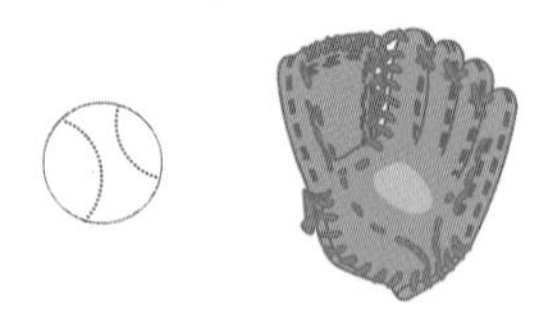

연습 02 6명이 팔씨름 경기를 리그전으로 합니다. 모두 몇 경기를 하는지 구하시오.

연습 03 가람, 나연, 다정, 리아, 명수 5명이 리그전으로 닭싸움을 하는데 리아와 명수의 경기를 제외한 모든 경기가 진행되었습니다. 진행된 경기는 모두 몇 경기인지 구하시오.

연습 04 깜이의 동네에서는 리그전으로 매년 탁구 대회가 열립니다. 작년보다 올해는 한 팀이 더 참가하여 5경기가 늘어났습니다. 올해 모두 몇 팀이 참가했는지 구하시오.

탐구주제

2 경기의 결과

"득점<실점"이면 지고, "득점 = 실점"이면 비기고 "득점>실점"이면 이기게 됩니다. 리그전으로 진행한 축구 경기 결과의 일부가 다음과 같습니다.

반 \ 결과	승	무	패	득점	실점
1반	1				5
2반	3	0	0	9	3
3반	1	1	1	6	7
4반	0	0	3	3	8

각 반의 승무패와 득점, 실점을 보고 1반의 성적을 생각해 봅시다.

2반부터 4반까지는 승무패가 모두 기록되어 있지만 1반은 승리한 횟수만 기록되어 있습니다. 다른 반의 성적과 비교하여 1반의 무승부와 패배한 수를 구하시오.

1반의 득점은 몇 점인지 구하시오.

리그전으로 경기를 할 때 각 팀은 자신을 제외한 모든 팀과 한 번씩 경기를 하겠지? 각 팀의 경기 수를 생각해 봐.

무승부는 한 팀만 할 수 없겠지? 한 경기가 무승부일 때 무승부인 팀은 2개가 생겨. 따라서 무승부인 수의 합은 당연히 짝수겠지?

어떤 팀이 한 골을 득점할 때마다 상대 팀은 한 골을 실점하게 돼. 득점의 합과 실점의 합은 항상 같아야 하는 것이지!

탐구 유형 2-1 1등팀의 성적은?

승수는 이긴 횟수를 의미합니다. 4개 국가가 리그전으로 아이스하키 경기를 했는데 캐나다의 승수가 가장 많고 러시아, 핀란드의 승수가 서로 같습니다. 경기 결과를 정리한 표를 완성하시오.

결과 / 국가	승	무	패
캐나다		0	
러시아		1	
핀란드		1	
스웨덴	0	0	3

Point 전체 경기 수로 승수의 합을 알 수 있습니다. 무승부인 경기가 한 경기 있습니다.

(1) 각 국가의 경기 수와 전체 경기 수를 구하시오.

(2) 승수의 총합을 구하시오.

(3) 캐나다의 승수가 가장 많을 때, 러시아, 핀란드의 승수로 가능한 수를 구하시오.

(4) 위의 표를 완성하시오.

경기의 결과

연습

01 5개 국가가 리그전으로 핸드볼 경기를 했습니다. 이라크의 승수가 가장 적고 일본, 이란, 중국의 승수가 같습니다. 5개 국가의 경기 결과를 정리한 표를 완성하시오.

국가 \ 결과	승	무	패
한국	3	0	1
일본		0	
이란		1	
중국		0	
이라크		1	

연습

02 깜이, 냥이, 송연이, 민재가 리그전으로 가위바위보를 합니다. 모두 5번 계단에서 시작하여 이기면 한 칸 올라가고, 지면 한 칸 내려가고, 비기면 같은 자리에 있기로 합니다. 가위바위보가 끝나고 세 사람의 위치를 보니 다음과 같습니다. 민재는 몇 번 계단에 있는지 구하시오.

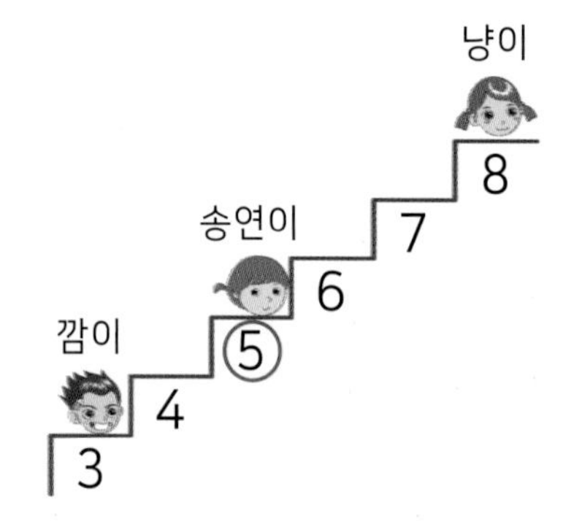

탐구 유형 2-2 득점수로 승패 찾기

3개 국가가 리그전으로 경기를 했습니다. 경기 결과를 정리한 표를 완성하시오.

국가 \ 결과	승	무	패	득점	실점
영국					3
프랑스		0		1	3
독일	1	1	0	3	2

Point 득점의 총합이 실점의 총합보다 많은 팀은 반드시 한 번은 이겼습니다.

(1) 영국의 득점수를 구하시오.

(2) 영국이 몇 승 몇 무 몇 패를 했는지 구하시오.

(3) 표를 완성하시오.

연습 01 3개 국가가 리그전으로 핸드볼 경기를 한 결과입니다.

국가 \ 결과	득점	실점
한국	9	6
일본		4
중국	5	8

일본과 중국 중 한 국가만 한 번 승리 했고 다른 한 국가는 모두 패했습니다. 일본과 중국 중 한 번 승리한 국가를 구하시오.

연습 02 4개 국가가 리그전으로 축구 경기를 했습니다. 경기 결과를 정리한 표를 완성하시오.

국가＼결과	승	무	패	득점	실점
독일					3
체코		2		5	6
그리스	1	1	1	6	5
벨기에	0	1	2	4	7

연습 03 4개 국가가 리그전으로 축구 경기를 한 결과를 정리한 표입니다.

국가＼결과	승	무	패	득점	실점
브라질	3	0	0	9	9
칠레	1	1	1	6	6
멕시코	1	0	2	7	7
페루	0	1	2	4	4

빨간색 칸 중 2개가 잘못되었습니다. 잘못된 칸 2개를 찾아 모두 ○표 하시오.

탐구주제

3 예선과 본선

탐구 유형 3-1 월드컵의 경기 수

2022년 월드컵은 32개 팀이 참가하는 축구 대회입니다. 예선전은 리그전으로 진행하고 본선은 토너먼트로 진행해 우승자를 정합니다.

① 예선전은 한 조에 4팀씩 나누고 리그전으로 진행합니다.
② 각 조의 1, 2등이 본선에 진출합니다.
③ 결승전 외에 준결승전에서 패한 팀끼리 3, 4위전을 치릅니다.

월드컵의 경기 수를 구하시오.

Point 예선전에는 8개의 조가 있습니다.

(1) 예선전에서 열리는 모든 경기 수와 본선에 오르는 팀의 수를 구하시오.

예선 경기 수: ☐ 경기　　　본선 진출 팀 수: ☐ 팀

(2) 본선에서 열리는 모든 경기 수를 구하시오.

(3) 전체 경기 수를 구하시오.

연습 01 한 조에 5팀씩 6개 조가 참가하는 탁구 대회가 있습니다. 각 조는 리그전으로 예선전을 하고, 각 조의 1등들이 모여 토너먼트로 우승팀 한 팀을 정합니다. 이 대회의 전체 경기 수를 구하시오.

탐구 유형 3-2 본선 진출 팁은?

네 반이 리그전으로 축구 경기를 하는데 이기면 3점, 지면 0점, 비기면 1점을 얻고 1등과 2등만 본선에 진출합니다.

반＼결과	승	무	패	점수
1반	1	1	1	4
2반	0	2	0	2
3반	0	0	2	0
4반	2	1	0	7

위의 표는 2반과 3반의 경기를 제외한 모든 경기가 끝난 후 결과를 정리한 것입니다. 1반이 탈락하려면 2반과 3반의 경기 결과가 어떻게 되어야 하는지 구하시오.

Point 2반과 3반 중 한 반이라도 점수가 4점을 넘기면 1반은 탈락합니다.

(1) 2반과 3반의 경기에서 2반이 이길 때와 3반이 이길 때 각 반의 점수를 구하시오.

(2반이 이길 때) 2반: □ 점, 3반: □ 점

(3반이 이길 때) 2반: □ 점, 3반: □ 점

(2) 2반과 3반의 경기가 무승부로 끝날 때 각 반의 점수를 구하시오.

2반: □ 점 3반: □ 점

(3) 다음은 2반, 3반의 경기 결과로 가능한 것들입니다. 1반이 탈락하려면 2반, 3반의 경기 결과가 어떻게 되어야 하는지 아래에서 찾아 ○표 하시오.

㉠ 2반의 승 ㉡ 무승부 ㉢ 3반의 승

연습 01 세 반이 리그전으로 축구 경기를 하는데 이기면 3점, 지면 0점, 비기면 1점을 얻습니다.

반 \ 결과	승	무	패	점수
1반	0	1	1	1
2반	0	1	0	1
3반	1	0	0	3

위의 표는 2반과 3반의 경기를 제외한 모든 경기가 끝난 후 결과를 정리한 것입니다. 3반이 우승하기 위해서 2반과 3반의 경기 결과가 어떻게 되어야 하는지 모두 찾아 ○표 하시오.

㉠ 2반의 승　　㉡ 무승부　　㉢ 3반의 승

연습 02 네 지역이 리그전으로 야구 경기를 하는데 이기면 3점, 지면 0점, 비기면 1점을 얻습니다.

지역 \ 결과	승	무	패	점수
부천	1	1	0	4
충주	1	1	0	4
전주	0	2	0	2
경주	0	0	2	0

위의 표는 부천과 충주, 전주와 경주의 경기를 제외한 모든 경기가 끝난 후 결과를 정리한 것입니다. 부천이 1등, 전주가 2등을 하려면 부천과 충주 경기의 결과, 전주와 경주 경기의 결과가 어떻게 되어야 하는지 모두 찾아 ○표 하시오.

① 부천과 충주 경기: ㉠ 부천의 승　㉡ 무승부　㉢ 충주의 승
② 전주와 경주 경기: ㉠ 전주의 승　㉡ 무승부　㉢ 경주의 승

TOP 사고력

①번 방법은 다른 조에 속한 4명의 선수와는 경기를 하지 않게 됩니다.

01 8명의 레슬링 선수 중 국가대표 2명을 선택하는데 다음 두 가지 방법 중 하나를 사용하려고 합니다.

① 한 조에 4명씩 나누어 각 조는 리그전으로 경기하고, 각 조의 1등을 선택

② 8명이 모두 리그전으로 경기하고 1등, 2등을 선택

경기 수가 많은 방법은 몇 번 방법이고, 몇 경기 더 많은지 구하시오.

무승부인 경기는 오직 한 경기 있습니다. 따라서 승수의 합은 9입니다. 1반은 한 번 비겨야 하기 때문에 4승을 할 수 없습니다.

02 5개 반이 리그전으로 축구 시합을 하는데 이기면 2점, 지면 0점, 비기면 1점을 얻습니다. 1반이 1등, 2반이 2등, 3반이 3등, 4반이 4등, 5반이 5등으로 모든 경기가 끝났습니다.

반 \ 결과	승	무	패	점수
1반	3			
2반		0		
3반		0		
4반		0		
5반		1		

경기 결과를 정리한 표를 완성하시오.

접는 선

03 다음과 같은 방식으로 배구 대회를 합니다.

> ① 한 조에 3팀씩 나누어 리그전으로 경기를 합니다.
> ② 각 조의 1등만 본선에 진출합니다. 본선은 토너먼트 방식입니다.

이 대회에서 열린 경기는 모두 31경기입니다. 모두 몇 팀이 참가했는지 구하시오.

한 조에서 열리는 예선전 경기 수는 3경기 입니다.

TOP of TOP

04 세 반이 리그전으로 축구 대회를 한 결과를 다음처럼 화살표로 정리할 수 있습니다. □ 안의 수는 경기에 참여한 두 반의 득점의 차입니다.

- 1반과 2반의 경기
  - 1반 1골, 2반 2골
- 1반과 3반의 경기
  - 1반 4골, 3반 2골
- 2반과 3반의 경기
  - 2반 3골, 3반 3골

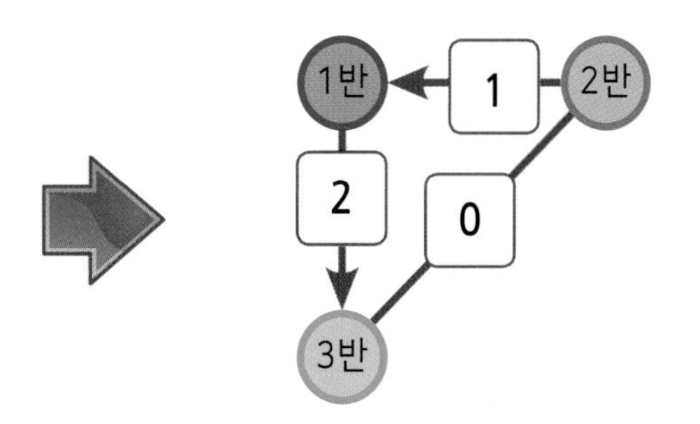

이긴 팀에서 진 팀 방향으로 화살표를 그렸습니다. 두 팀이 비기는 경우는 실선을 그렸습니다.

위와 같은 방법으로 네 반이 리그전으로 축구 대회를 한 결과를 화살표로 나타냈고 표 안에 경기 결과의 일부를 써넣었습니다. 표를 완성하시오.

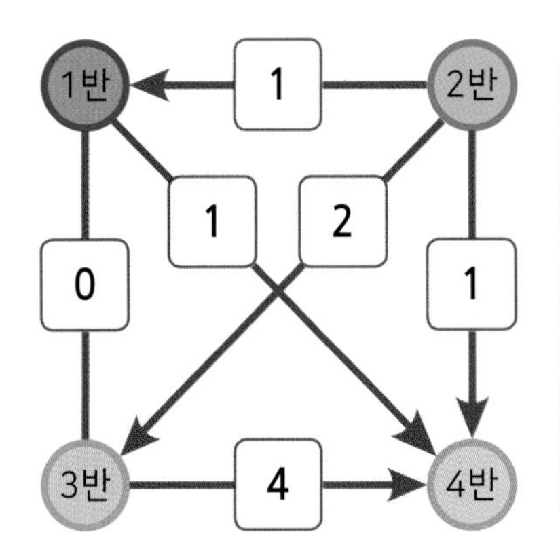

결과 / 반	승	무	패	득점	실점
1반					4
2반					4
3반					2
4반					7

접는 선

TOP 사고력 쑥쑥

학습주제를 시작할 때 학습 날짜를 기록하면서 전체 학습 진도 상황을 체크해 보세요.

B5	단원	학습 주제	학습 날짜
규칙	1. 수의 규칙	1-1. 묶어서 규칙 찾기	월/ 일
		1-2. 커지고 작아지고	월/ 일
		1-3. 연산 약속	월/ 일
	2. 모양 규칙	2-1. 회전 규칙	월/ 일
		2-2. 모양 변화 규칙	월/ 일
		2-3. 모양 유비 추론	월/ 일
확률과 통계	3. 순서대로 나열하기	3-1. 순서대로 분류	월/ 일
		3-2. 순서없이 세기	월/ 일
		3-3. 합과 곱	월/ 일
	4. 리그와 토너먼트	4-1. 경기의 수	월/ 일
		4-2. 경기의 결과	월/ 일
		4-3. 예선과 본선	월/ 일

1. 수의 규칙

1-1. 묶어서 규칙 찾기 | 01~06

01 □ 안에 알맞은 수를 써넣으시오.

(1) 8, 6, 7, 5, 8, 6, 7, □, 8, 6, 7, 5

(2) 34, 29, 24, 19, 14, □, 4

(3) 20, 21, 23, 26, 30, □, 41

유형 1-1
(1)번은 수 4개가 반복됩니다.
(2)번은 수가 일정한 크기로 줄어듭니다.
(3)번은 더해지는 수가 1씩 커집니다.

02 구슬 30개가 있는데 맨 처음에는 2개를 덜어내고 그 다음부터는 덜어내는 개수를 1개씩 늘렸습니다. 몇 번을 덜어내고 구슬 16개가 남았을 때 한 번 더 덜어내면 구슬이 몇 개 남는지 구하시오.

30개 ➔ 28개 ➔ 25개 ➔ 21개 ➔ ···

유형 1-1
구슬은 2, 3, 4, 5,··· 개씩 줄어듭니다. 21개에서 5개가 줄어 16개가 남습니다.

접는 선

유형 1-1
새로 생기는 가지의 개수는 4개로 일정합니다.

03 처음 2개의 가지에서 매번 새로운 가지가 2개씩 자랍니다.

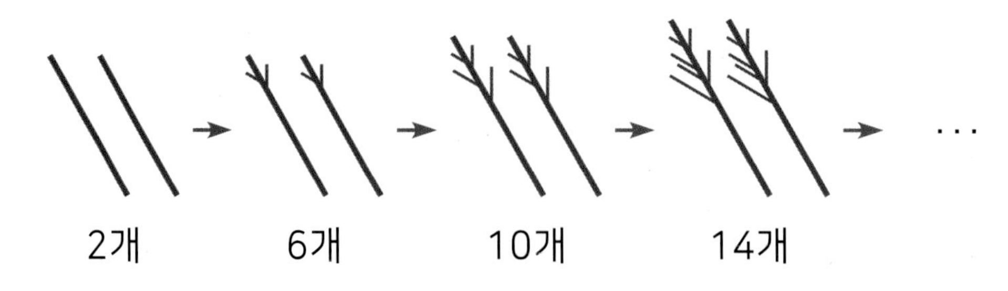

6번째 그림의 가지의 개수를 구하시오.

유형 1-2
(1)번은 수를 3개씩 묶어서 비교합니다.
(2)번은 수를 5개, 4개, 3개, … 로 묶어서 비교합니다. 같은 묶음 안의 수가 1씩 작아집니다.
(3)번은 수를 1개, 2개, 3개, … 로 묶어서 비교합니다. 같은 묶음 안의 수가 1씩 작아집니다.

04 □ 안에 알맞은 수를 써넣으시오.

(1) 3, 3, 1, 4, 4, 2, 5, 5, 3, 6, □, 4, 7, 7, 5

(2) 8, 7, 6, 5, 4, 7, 6, 5, 4, 6, 5, □

(3) 10, 10, 9, 10, 9, 8, 10, 9, 8, 7, 10, 9, 8, 7, □

접는 선

05 다음은 어떤 규칙에 따라 수를 써넣은 표입니다. ㉠~㉣에 알맞은 수를 구하시오.

2	4	6	㉠
5	7	㉡	
8		12	㉢
11	13	㉣	

! 유형 1-3
오른쪽으로 한 칸 움직이면 2 커지고 아래로 한 칸 움직이면 3 커집니다.

06 다음과 같은 규칙으로 수를 써넣을 때 16은 몇 번 열에 있는지 구하시오.

1열	2열	3열	4열	5열
1		3		5
	2		4	
6		8		10
	7		9	
		⋮		

! 유형 1-3
열의 번호는 각 수에서 5를 더 이상 뺄 수 없을 때까지 빼고 남은 수와 같습니다. 단, 5열의 수는 모두 5의 배수입니다.

접는 선

유형 2-1
한 번 더 자를 때마다 조각이 3개 더 생깁니다.

07 알파벳 S를 세로로 자릅니다. 3번 잘랐을 때 나오는 조각의 개수를 구하시오.

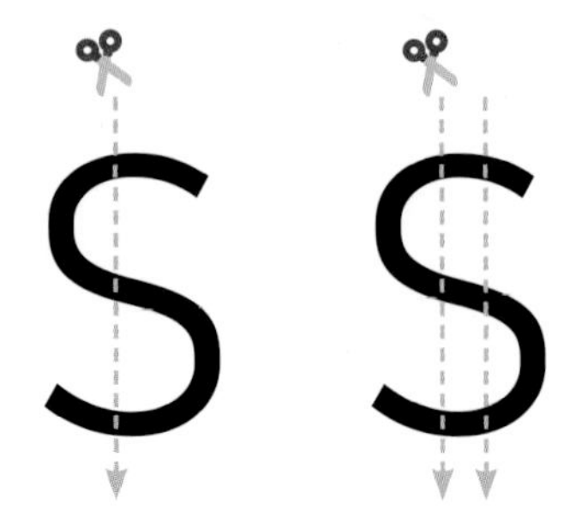

유형 2-1
새로 그릴 수 있는 삼각형의 개수는 1, 1+2, 1+2+3, ⋯으로 커집니다.

08 선을 따라 그릴 수 있는 △모양의 개수가 규칙적으로 늘어나고 있습니다. 4번째 그림에서 선을 따라 그릴 수 있는 △모양의 개수를 구하시오. 단, ▽모양은 포함하지 않습니다.

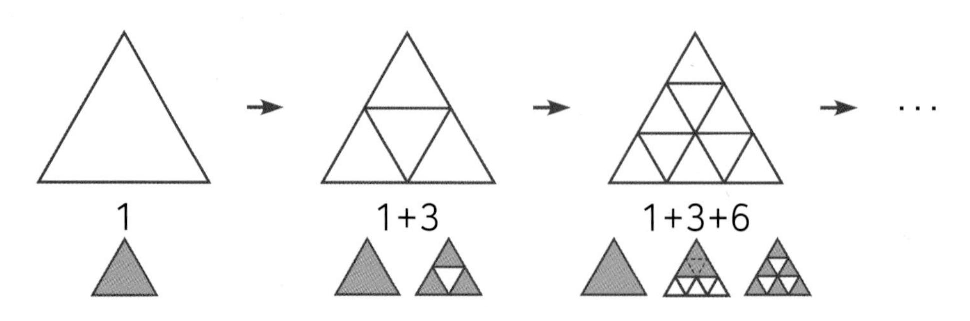

접는 선

09 종이의 개수는 규칙적으로 변하고 자르는 방법은 같습니다. 6번째에 종이를 자르면 몇 조각이 되는지 구하시오.

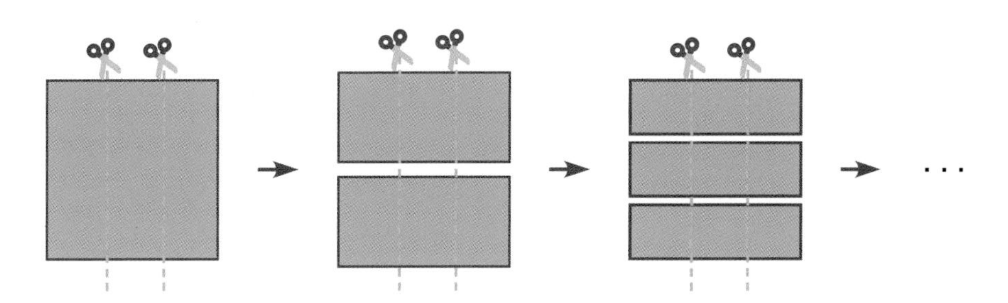

> 유형 2-1
> 조각의 개수는 자르기 전 조각의 개수의 3배입니다.

10 하루에 2배씩 늘어나는 개구리풀 1개를 어항에 넣고 일주일이 지나면 어항이 가득 찹니다. 개구리풀 2개를 어항에 넣고 며칠이 지나면 어항이 가득 차는지 구하시오.

> 유형 2-2
> 개구리풀 1개를 넣고 하루가 지나면 2개로 늘어납니다.

접는 선

유형 2-2
사과가 2개 남기 직전에는 그 두 배인 4개의 사과가 상자에 남아있습니다.

11 상자에 들어있는 사과를 한 번에 절반씩 덜어냅니다. 8번 덜어내니 사과 2개가 남았을 때 사과 8개를 남기기 위해서는 몇 번 덜어내야 하는지 구하시오.

유형 2-2
짝수번째 수는 다음번에 4배로 커지고 홀수번째 수는 다음번에 반으로 줄어듭니다.

12 수가 반이 되고 4배가 되는 것을 반복합니다. 10번째 수는 ㉠입니다.

4 → 2 → 8 → 4 → 16 → ···

같은 규칙으로 수가 변할 때 8번째 수가 ㉠이 되기 위해서 처음의 수는 몇이 되어야 하는지 구하시오.

접는 선

13 다음 연산 기호의 규칙을 찾아 □ 안에 알맞은 수를 써넣으시오.

1 ● 0 = 1	7 ● 1 = 6
4 ● 4 = 8	3 ● 3 = 6
10 ● 7 = 3	3 ● 7 = 4

(1) 9 ● 9 = □ (2) 17 ● 16 = □

(3) 22 ● 10 = □ (4) 7 ● 7 = □

유형 3-1
식의 두 수가 같을 때와 다를 때로 나누어 생각합니다.

14 다음 연산 기호의 규칙을 찾아 □ 안에 알맞은 연산 기호를 그리시오.

2 ▽ 3 = 5	5 ☆ 6 = 30
1 ▽ 1 = 0	3 ☆ 4 = 12
4 ▽ 3 = 1	5 ☆ 5 = 55
8 ▽ 3 = 5	4 ☆ 3 = 43
4 ▽ 4 = 0	7 ☆ 6 = 76

(1) 6 □ 5 = 65 (2) 3 □ 3 = 0

(3) 9 □ 1 = 8 (4) 4 □ 5 = 20

유형 3-1
식의 두 수 중 뒤의 수가 클 때와 크지 않을 때로 나누어 생각합니다.

접는 선

유형 3-2

두 자리 수는 십의 자리와 일의 자리 숫자의 차로 변하고 한 자리 수는 그 수를 두 번 곱한 값이 됩니다.

15 보기 의 수가 변하는 규칙을 찾아 □ 안에 알맞은 수를 써넣으시오.

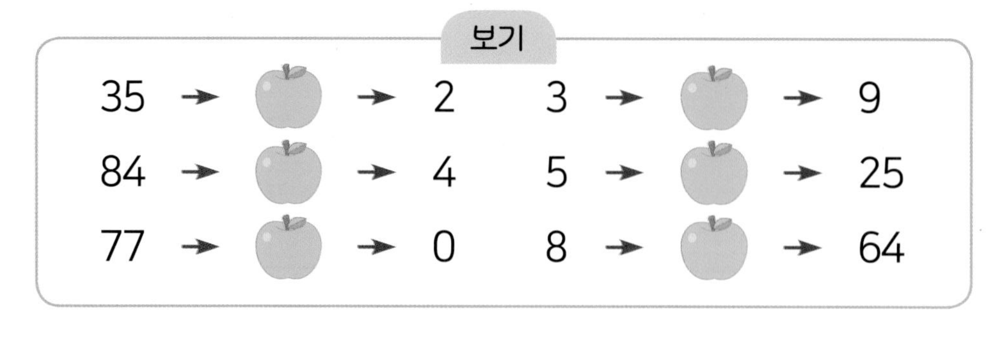

9 → 🍎 → 🍎 → 🍎 → □

유형 3-2

일의 자리와 십의 자리 숫자가 같을 때와 다를 때로 나누어 생각합니다.

16 보기 의 수가 변하는 규칙을 찾아 □ 안에 알맞은 수를 써넣으시오.

보기

12 → ⚾ → 3　　48 → ⚾ → 12

31 → ⚾ → 4　　77 → ⚾ → 49

33 → ⚾ → 9　　38 → ⚾ → 11

(1) 78 → ⚾ → □

(2) 35 → ⚾ → □

(3) 66 → ⚾ → ⚾ → □

접는 선

2-1. 회전 규칙 | 1~6

01 8번째 모양을 완성하시오.

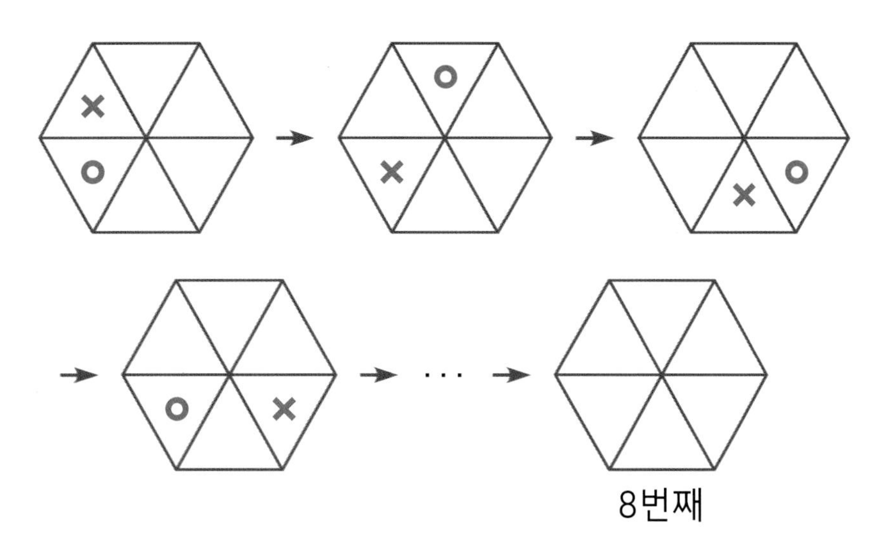

유형 1-1
X는 시계 반대 방향으로 한 칸씩, ○는 시계 방향으로 두 칸씩 움직이고 있습니다.

02 규칙을 찾아 빈칸에 알맞은 수를 써넣으시오.

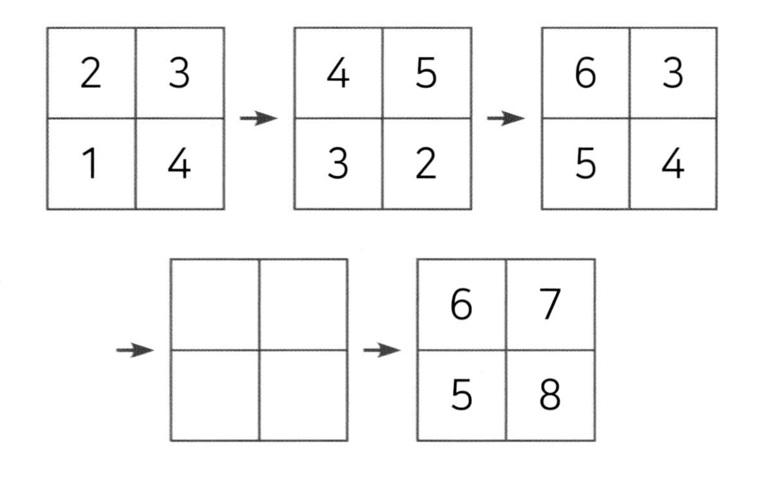

유형 1-1
수가 1씩 커지면서 시계 반대 방향으로 한 칸씩 움직입니다.

접는 선

유형 1-1

오른쪽으로 한 칸 움직이면 (회전) 만큼 한 번 돌고 아래로 한 칸 움직이면 (회전) 만큼 한 번 돕니다.

03 무늬의 회전 규칙을 찾아 빨간색 □ 안에 알맞은 무늬를 그리시오.

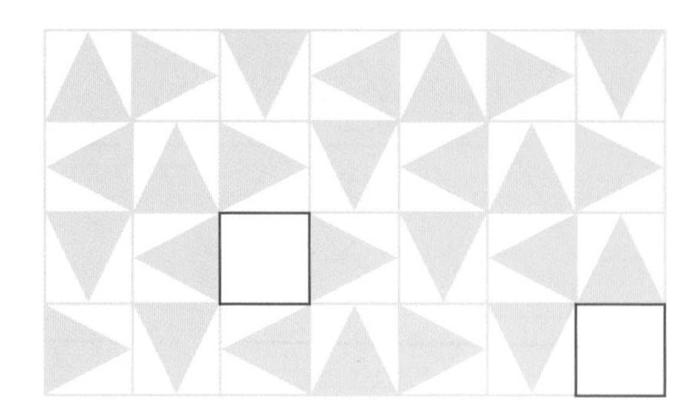

유형 1-2

12시를 기준으로 1시간, 2시간, 3시간, … 차이가 납니다. 홀수 번째와 짝수 번째를 나누어 생각합니다.

04 12시를 가리키는 시계가 일정한 규칙으로 변하고 있습니다. 규칙을 찾아 5번째 시계의 시각을 구하시오.

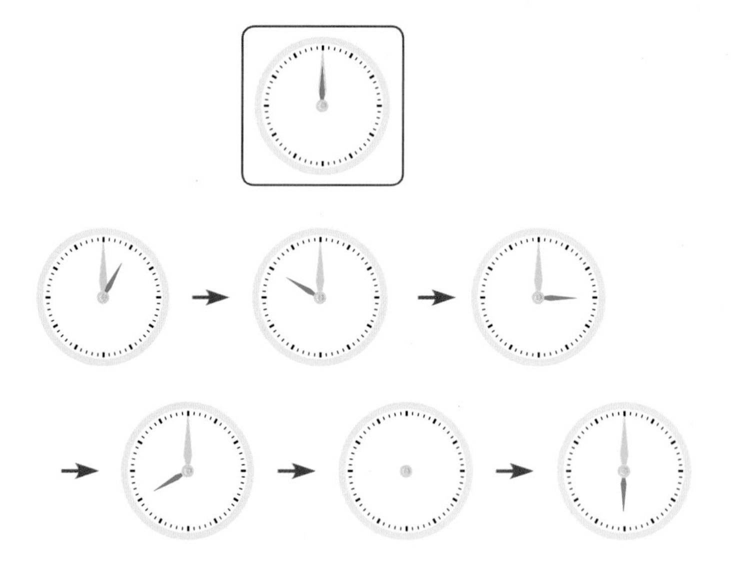

접는 선

05 규칙을 찾아 5번째 모양을 완성하시오.

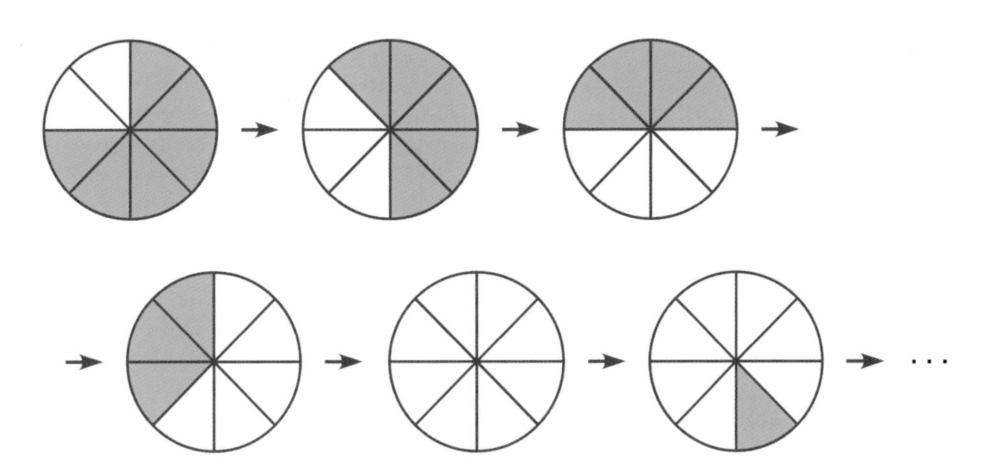

> 유형 1-2
> 빈칸이 시계 반대 방향으로 한 칸씩 움직이고 새로운 빈칸이 하나 더 생깁니다.

06 규칙을 찾아 빈칸에 알맞은 수를 써넣으시오.

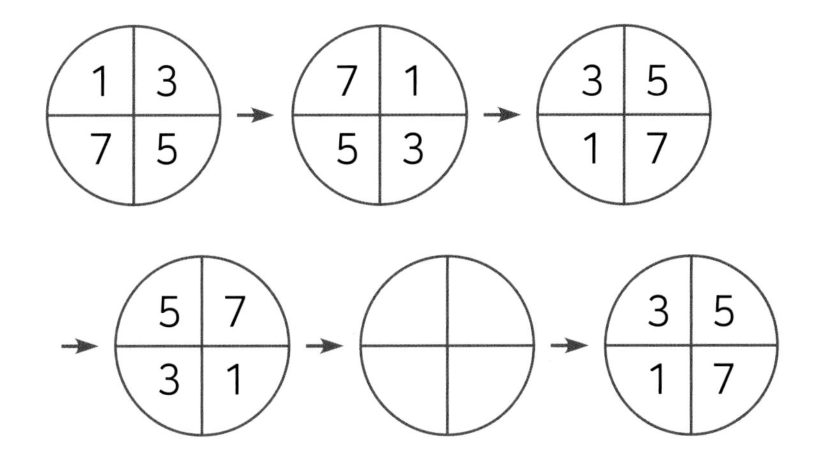

> 유형 1-2
> 1은 시계 방향으로 1, 2, 3, … 칸씩 움직입니다.

접는 선

유형 2-1
오른쪽 모양은 그대로 두고 왼쪽 모양을 반 바퀴 돌린 후 겹칩니다.

07 보기 의 규칙을 찾아 모양을 완성하시오.

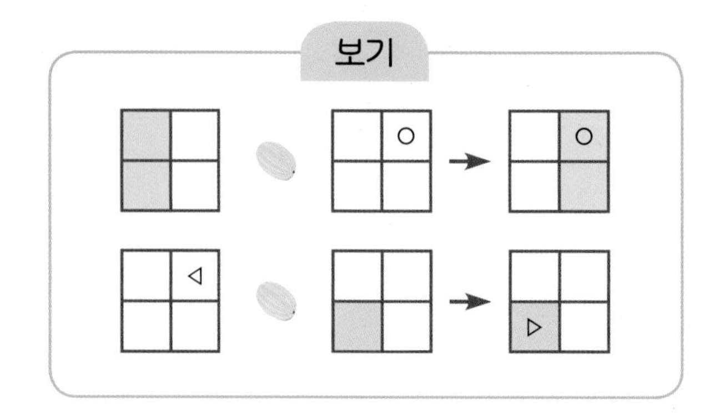

(1)

(2)

유형 2-1
3개는 두 모양에서 공통으로 칠해진 칸을 찾은 후 오른쪽 모양에서 공통으로 칠해진 칸의 색을 지웁니다.
1개는 왼쪽 모양을 오른쪽으로 한 번 뒤집은 후 두 모양을 겹칩니다.

08 모양 변화 규칙이 다른 하나를 찾아 ○표 하시오.

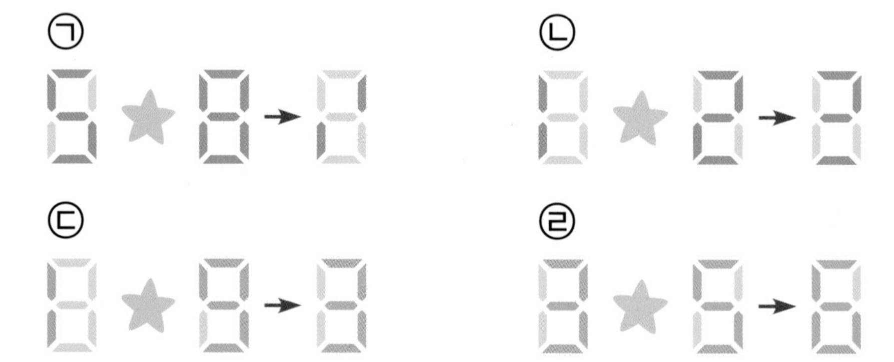

접는 선

09 모양이 반복되는 규칙을 찾아 ▢ 안에 알맞은 모양을 그리시오.

(1) ● △ ▲ ○ ★ ○ ▲ △ ● ☆ ▢ △ ▲ ○ ★

(2) ○ △ □ ▷ ☆ ○ △ □ ▷ ○ △ □ ○ ▢

유형 2-2
(1)번은 모양 5개가 반복되고 홀수 번째는 검은색, 짝수 번째는 흰색입니다.
(2)번은 5개의 모양이 나오고 그 다음부터는 모양의 개수가 뒤에서부터 하나씩 줄어들고 있습니다.

10 규칙대로 모양이 반복되고 있습니다. ▢ 안의 모양 중 잘못된 것을 찾아 X표 하시오.

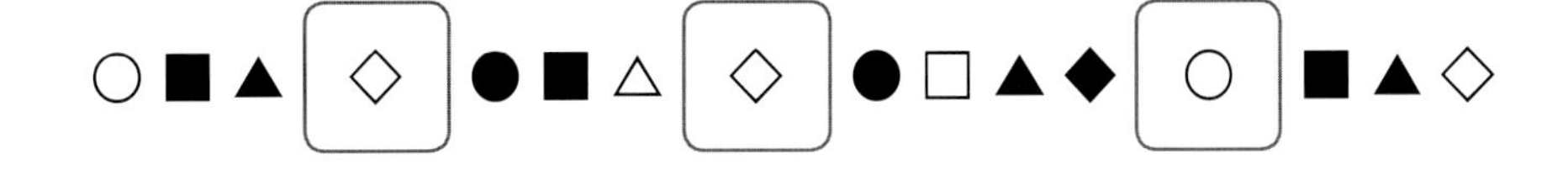

유형 2-2
똑같은 모양 4개가 반복되고 있습니다. 색깔은 흰색 1개, 검은색 2개가 반복되고 있습니다.

접는 선

유형3-1
그림 카드 두 장에서 카드 속 도형의 위치와 개수를 비교해 봅니다.

11 색깔이 같은 그림 카드 두 장 사이의 관계는 서로 같습니다.

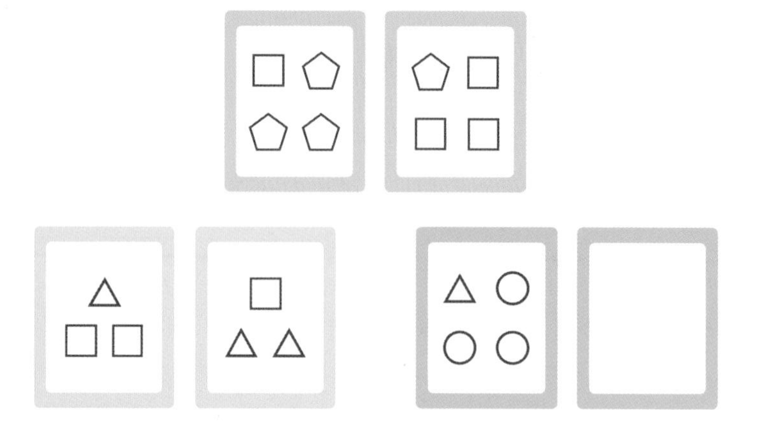

빈 카드에 그림을 알맞게 그리시오.

유형3-1
세 쌍의 카드는 모두 한 도형이 다른 도형 안에 들어있습니다.

12 두 카드 사이의 관계가 다른 한 쌍을 찾아 ○표 하시오.

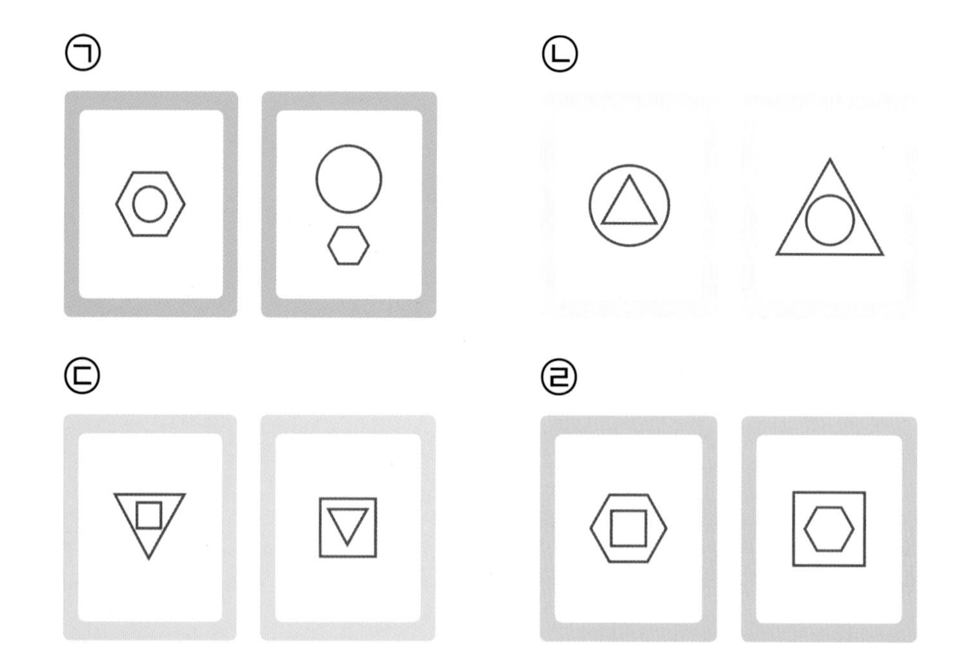

접는 선

13 색깔이 같은 카드 두 장 사이의 관계가 같도록 노란색 카드의 그림을 완성하시오.

유형 3-1

오른쪽 카드의 그림은 왼쪽 카드의 그림을 어떤 방향으로 돌린 것입니다.

14 파란색 카드는 모두 구구이고 초록색 카드는 구구가 아닙니다.

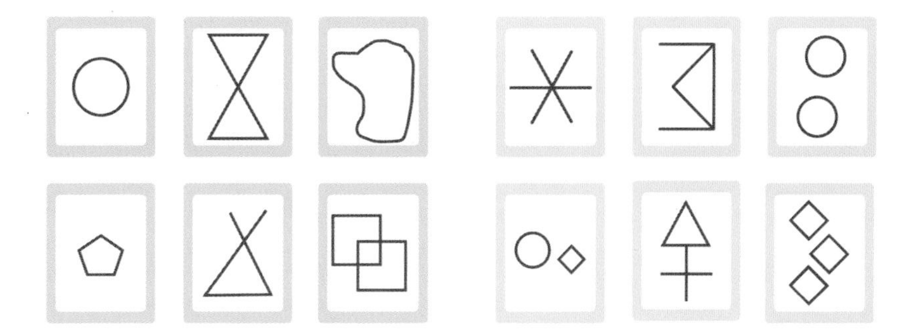

회색 카드 중 구구인 것에 ○표 하시오.

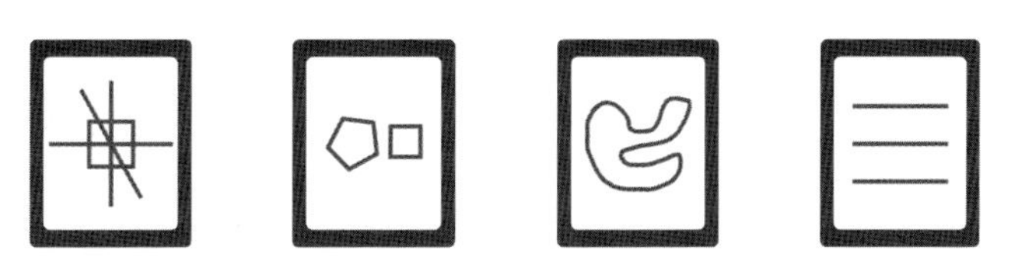

유형 3-2

선을 따라 한 번에 그릴 수 있는지 봅니다.

접는 선

유형 3-2
선 위에 있는 도형의 개수를 세어 봅니다.

15 초록색 카드는 모두 모모이고 파란색 카드는 한 장만 모모입니다. 파란색 카드 중 모모인 것에 ○표 하시오.

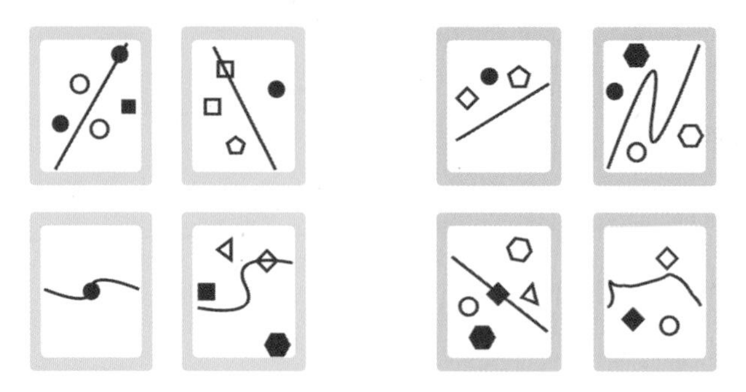

유형 3-2
도형의 개수를 세어 봅니다.

16 노란색 카드는 어떤 조건을 만족하지만 파란색 카드는 어떤 조건을 만족하지 않습니다. 노란색 카드가 공통적으로 만족하는 조건을 구하시오.

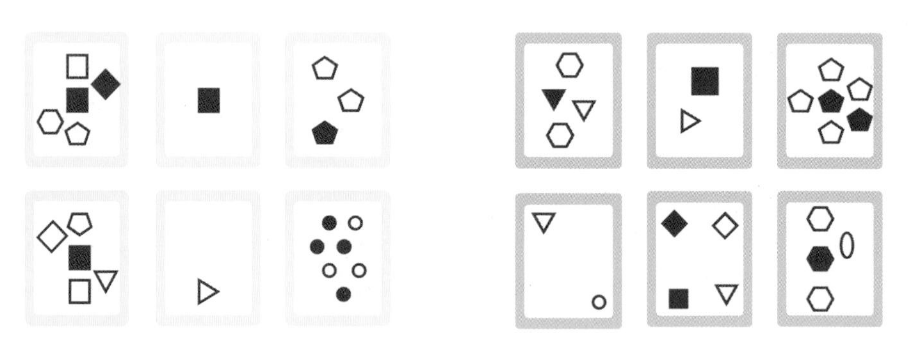

접는 선

3. 순서대로 나열하기

3-1. 순서대로 분류 | 1~6

01 금액이 서로 다른 동전 4개를 던져서 나올 수 있는 앞면과 뒷면의 상태를 (앞, 뒤, 뒤, 앞)과 같은 방법으로 나타낼 때, 나올 수 결과의 개수를 곱셈식을 세워 구하시오.

□ × □ × □ × □ = □ (가지)

> **유형 1-1**
> 동전 1개를 던져서 나올 수 있는 방법은 2가지입니다.

02 한 칸에 초록색, 다른 한 칸에 빨간색을 칠하는 서로 다른 방법은 몇 가지인지 곱셈식을 세워 구하시오.

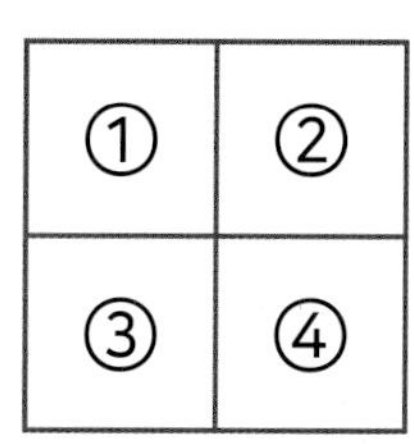

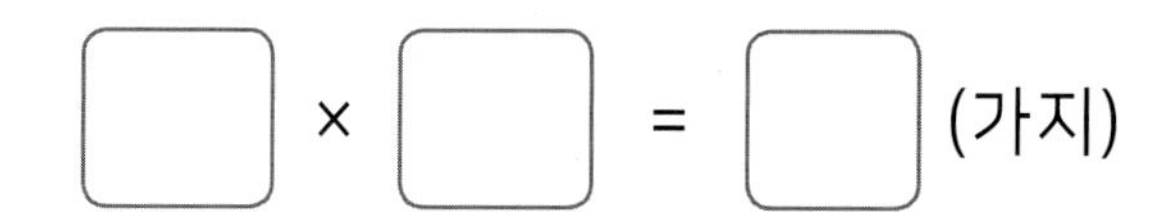

> **유형 1-1**
> 한 칸에 초록색을 칠하면 남은 칸은 3개이므로 이 중 하나에 빨간색을 칠할 수 있습니다.

접는 선

유형 1-1
㉠ 주머니에 과일 하나를 넣으면 나머지 4개의 과일 중 하나를 ㉡ 주머니에 넣을 수 있습니다.

03 과일 5개 중 2개를 골라 ㉠, ㉡ 주머니에 하나씩 넣는 방법은 몇 가지인지 곱셈식을 세워 구하시오.

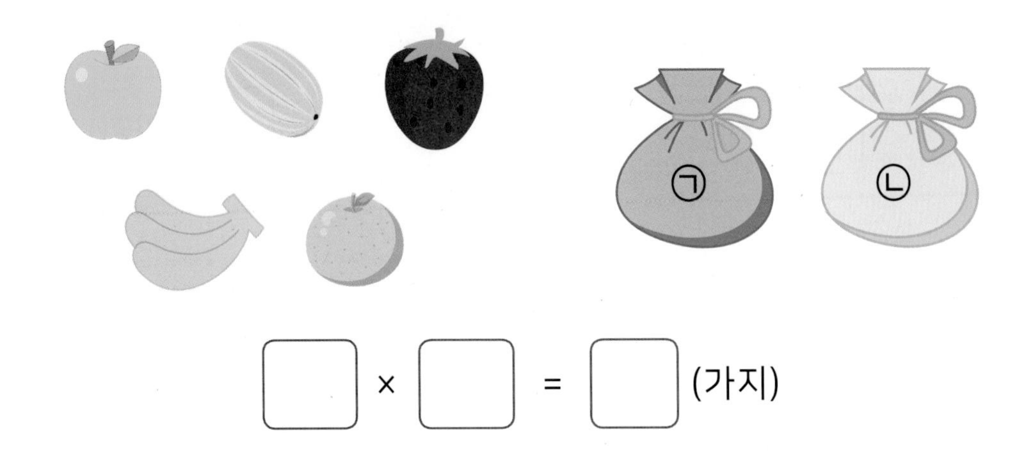

□ × □ = □ (가지)

유형 1-1
가람이가 책을 고르면 6권의 책이 남습니다.

04 가람이가 7권의 책 중 하나를 고르고 나영이는 남은 책 중 하나를 고릅니다. 두 사람이 책을 고르는 방법은 모두 몇 가지인지 구하시오.

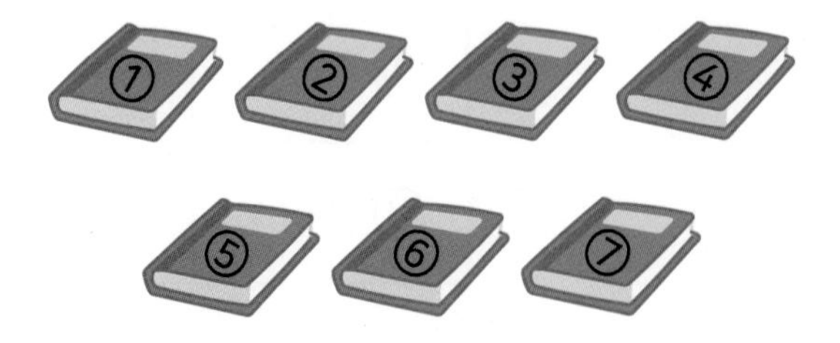

접는 선

05 100부터 199까지의 수 중에서 십의 자리와 일의 자리가 서로 다른 세 자리 수의 개수를 구하시오.

유형 1-2
십의 자리에 0부터 9까지의 숫자 중 하나를 써넣으면 일의 자리에 남은 9개의 숫자 중 하나를 써넣을 수 있습니다.

06 주황색 카드는 십의 자리, 보라색 카드는 일의 자리에 사용하여 두 자리 수를 만듭니다. 만들 수 있는 두 자리 수 중에서 십의 자리와 일의 자리 숫자가 서로 다른 두 자리 수의 개수를 구하시오.

1 3 4 3 4

7 9 7 9

유형 1-2
십의 자리 숫자가 1인 경우와 1이 아닌 경우로 나누어 생각합니다.

접는 선

유형2-1

첫 번째에 ①번을 칠하고 두 번째에 ②번을 칠하나 첫 번째에 ②번을 칠하고 두 번째에 ①번을 칠하나 똑같은 무늬가 나옵니다.

07 5개의 삼각형 중 2개에 파란색을 칠할 때 만들 수 있는 서로 다른 무늬는 몇 가지인지 구하시오.

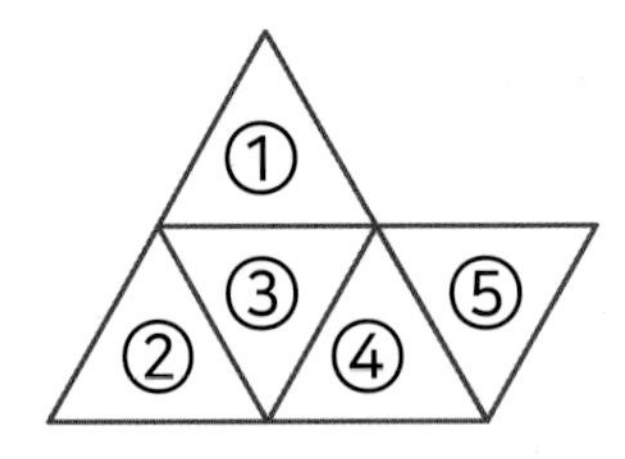

유형2-1

숫자 3 카드 두 개의 위치가 서로 바뀌어도 같은 수가 됩니다. 숫자 7도 마찬가지입니다.

08 다음 숫자 카드를 한 번씩 사용해 만들 수 있는 네 자리 수의 개수를 구하시오.

접는 선

09 깜이 모둠에는 모두 6명의 학생이 있습니다. 이 중에서 청소 당번 4명을 뽑는 방법은 몇 가지인지 구하시오.

! 유형 2-2

청소 당번으로 뽑히지 않는 2명을 선택하면 청소 당번 4명은 곧바로 정해집니다. 6명 중 2명을 뽑는 방법을 구합니다.

10 서로 다른 7개의 인형 중 5개를 책상에 올리는 방법은 몇 가지인지 구하시오.

! 유형 2-2

7개의 인형 중 책상에 올리지 않는 2개의 인형을 선택하는 방법의 개수와 같습니다.

접는 선

유형 3-1
김밥이나 라면을 주문하는 방법은 9가지입니다.

11 김밥과 떡볶이, 라면을 파는 식당이 있습니다. 한 가지 메뉴만 주문하는 방법은 모두 13가지이고, 김밥은 5종류, 라면은 4종류가 있을 때 떡볶이는 몇 종류인지 구하시오.

유형 3-1
홀수가 나오는 방법은 3가지, 2가 나오는 방법은 1가지 있습니다. 2는 홀수가 아닙니다.

12 주사위를 던져 홀수나 2가 나오면 뽑기에 당첨됩니다. 뽑기에 당첨되는 방법은 모두 몇 가지인지 구하시오.

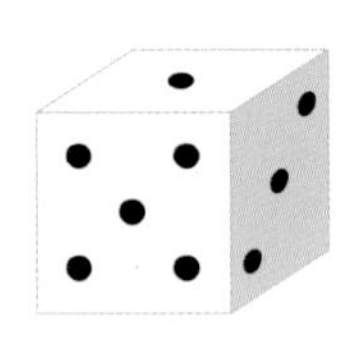

접는 선

13 서로 다른 색깔의 구슬 13개를 주머니에 나누어 넣었습니다.

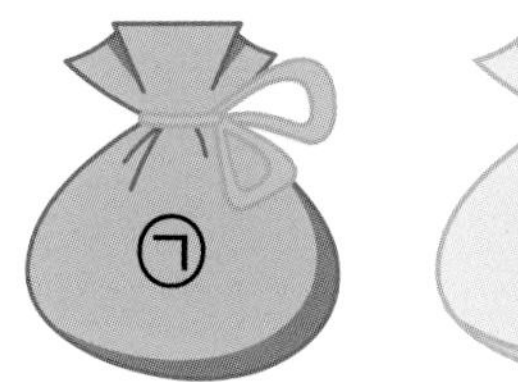

㉠ 주머니에서 하나씩 구슬을 뽑는 방법이 5가지, ㉡ 주머니에서 하나씩 구슬을 뽑는 방법이 6가지일 때 ㉢ 주머니에 들어있는 구슬의 개수를 구하시오.

유형 3-1
㉠, ㉡ 주머니에 들어있는 구슬의 개수의 합은 11개입니다.

14 집에서 도서관까지 가는 방법은 몇 가지인지 구하시오.

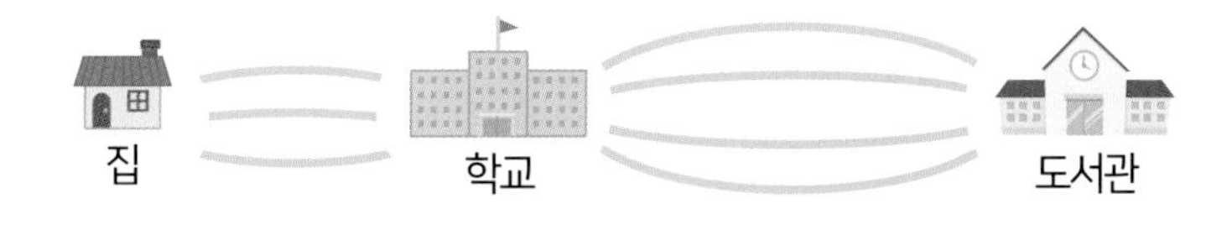

유형 3-2
집에서 학교까지 가는 3가지 길 중 어떤 길로 가더라도 학교에서 도서관까지 가는 길은 4가지 있습니다.

접는 선

유형3-2

4종류의 지우개 중 어떤 것을 고르더라도 고를수 있는 가위의 종류는 3가지로 변하지 않습니다. 연필을 고르면 지우개와 가위를 고를 수 없습니다.

15 문구점에 지우개 4종류, 가위 3종류, 연필 4종류가 있습니다. 지우개와 가위를 한 개씩 사거나 연필 한 개를 사는 서로 다른 방법은 몇 가지인지 구하시오.

유형3-2

집에서 도서관을 거쳐 학교로 가는 방법은 27 - 3 = 24(가지) 있습니다.

16 집에서 학교로 가려면 도서관을 지나가거나 곧바로 갈 수 있는 3개의 길 중 하나를 지나야 합니다.

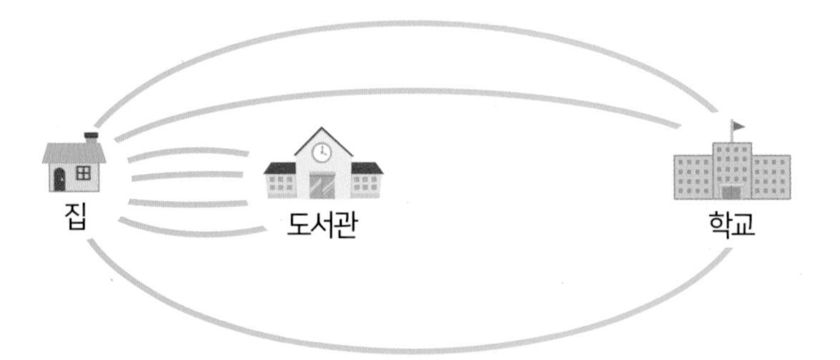

집에서 학교로 가는 방법이 27가지일 때 도서관에서 학교로 가는 길은 몇 개인지 구하시오.

접는 선

4. 리그와 토너먼트

4-1. 경기의 수 | 01~04

01 1번부터 20번까지의 학생 중 짝수번, 홀수번으로 조를 나누어 토너먼트 방식의 닭싸움을 하려고 합니다. 각 조의 1등을 결정하기 위해서는 모두 몇 경기를 해야 하는지 구하시오.

유형1-1
10명 중 1명만 남기 위해서는 9명의 탈락자가 있어야 합니다.

02 학생들이 토너먼트 방식으로 팔씨름을 했는데 한 명의 우승자를 결정하기 위해 모두 6번의 경기를 하였습니다. 토너먼트에 참여한 학생은 모두 몇 명인지 구하시오.

유형1-1
2명이 토너먼트 방식으로 팔씨름을 하면 1경기만으로 우승자를 결정할 수 있습니다. 참가자가 한 명 늘 때마다 경기 수도 1경기씩 늘어납니다.

접는 선

유형 1-2

5명 중 악수 할 사람 2명을 뽑는 방법의 개수와 같습니다.

03 다섯 명이 서로 한 번씩 악수를 했습니다. 모두 몇 번의 악수를 했는지 구하시오.

유형 1-2

올해 참가하지 않은 1명은 작년에 7경기를 했습니다.

04 냥이네 학교에서는 리그전으로 매년 배드민턴 대회가 열립니다. 올해는 작년보다 참가자가 한 명 줄어들어 7경기를 덜하게 되었습니다. 올해의 참가 인원을 구하시오.

접는 선

05 프랑스, 독일, 영국, 미국이 리그전으로 축구 경기를 하였습니다. 경기 결과를 정리한 표에 프랑스의 성적만 지워져 있습니다.

국가 \ 결과	승	패
프랑스		
독일	3	0
영국	1	2
미국	1	2

표의 빈칸을 채우시오. 단, 무승부는 없습니다.

! 유형 2-1
무승부가 없기 때문에 승의 합, 패의 합 모두 6입니다.

06 5명이 리그전으로 가위바위보를 합니다. 가람, 나영, 다정, 리아의 승수는 모두 같습니다. 5명의 성적을 기록한 아래 표를 완성하시오.

이름 \ 결과	승	무	패
가람		1	
나영		0	
다정		2	
리아		0	
미연	0	1	3

! 유형 2-1
무승부인 경기는 2경기이기 때문에 승수의 합은 8입니다.

접는 선

유형 2-1
새로 생기는 바둑돌도 없어지는 바둑돌도 없기 때문에 바둑돌의 개수의 합은 경기 시작 전과 같습니다.

07 5명이 리그전으로 가위바위보를 합니다. 각자 바둑돌을 10개씩 가지고 시작하여 이기면 상대의 바둑돌을 하나 가져오고 지면 바둑돌을 한 개 주고 비기면 바둑돌을 주지도 받지도 않습니다.

이름	바둑돌의 개수
세홍	12개
연수	10개
재환	13개
효진	8개
소미	

경기가 끝난 후 소미가 가지고 있는 바둑돌의 개수를 구하시오.

유형 2-2
독일은 2승이므로 프랑스는 독일과의 경기에서 1번 졌고 독일과의 경기에서 실점이 득점보다 많습니다. 프랑스와 영국의 경기에서 프랑스는 득점이 실점보다 많아야 합니다.

08 3개 국가가 리그전으로 축구 경기를 한 결과의 일부입니다.

결과 / 국가	승	무	패	득점	실점
독일	2	0	0	3	1
프랑스				3	3
영국				1	3

영국은 몇 승 몇 무 몇 패를 했는지 구하시오.

접는 선

09 4개 도시가 리그전으로 축구 경기를 한 결과의 일부입니다.

도시 \ 결과	승	무	패	득점	실점
대구			1	4	3
광주	3	0	0	5	0
인천		1	1	6	2
울산		0		0	10

울산은 몇 승 몇 무 몇 패를 했는지 구하시오.

! 유형 2-2
울산은 한 골도 넣지 못했습니다. 이기기 위해서는 득점이 실점보다 많아야 하므로 적어도 한 골은 넣어야 합니다.

10 4개 국가가 리그전으로 축구 경기를 했습니다. 회색칸 중에서 잘못된 칸 하나를 찾아 바르게 고치시오.

국가 \ 결과	승	무	패	득점	실점
프랑스	2	1	0	2	2
덴마크	1	2	0	3	2
페루	1	0	2	3	2
호주	0	1	2	2	6

! 유형 2-2
한 번 이길 때마다 득점이 실점보다 적어도 1골씩 많아집니다.

접는 선

유형3-1
한 조에서 열리는 경기 수를 먼저 구합니다. 토너먼트에는 모두 5팀이 올라갑니다.

11 한 조에 6팀씩 5개 조가 참가하는 배드민턴 대회가 있습니다. 각 조는 리그전으로 예선을 하고, 각 조의 1등 팀들이 모여 토너먼트로 우승팀 한 팀을 결정합니다. 우승팀을 결정하기 위해 모두 몇 경기를 해야 하는지 구하시오.

유형3-1
예선과 본선으로 나누어 생각해 봅시다. 토너먼트에서는 경기를 한 번 할 때마다 한 명의 탈락자가 생깁니다.

12 5개 조가 참가하는 씨름대회가 열렸습니다. 예선은 한 조에 5명씩 토너먼트로 경기를 하고, 본선은 각 조의 1등들이 모여 다시 토너먼트로 경기를 해 우승자 한 명을 결정합니다. 우승자를 결정하기 위해 모두 몇 경기를 해야 하는지 구하시오.

접는 선

13 12명이 참가하는 양궁 대회에서 다음 두 가지 방법 중 하나로 경기를 진행하려고 합니다.

① 예선은 한 조에 4명씩 3개 조로 나누어 리그전으로 하고, 본선은 각 조의 1등들이 모여 토너먼트로 진행한 후 1명의 우승자를 결정

② 예선은 한 조에 3명씩 4개 조로 나누어 리그전으로 하고, 본선은 각 조의 1등들이 모여 토너먼트로 진행한 후 1명의 우승자를 결정

경기 수가 더 적은 방식을 고르시오.

! 유형3-1
①번 방식을 사용하면 각 조에서 6경기를 하고, ②번 방식을 사용하면 각 조에서 3경기를 합니다.

14 세 지역이 리그전으로 야구 경기를 하는데 이기면 2점, 지면 0점, 비기면 1점을 얻습니다.

지역＼결과	승	무	패	점수
송파	0	1	0	1
강남	1	0	0	2
마포	0	1	1	1

위의 표는 송파와 강남의 경기를 제외한 모든 경기가 끝난 후 결과를 정리한 것입니다. 송파가 1등을 하기 위해 송파와 강남의 경기 결과가 어떻게 되어야 하는지 찾아 ○표 하시오.

㉠ 송파의 승 ㉡ 무승부 ㉢ 강남의 승

! 유형3-2
송파가 이기는 경우를 제외하면 송파가 강남보다 더 많은 점수를 얻는 경우는 없습니다.

접는 선

유형3-2

울산이 2등 하려면 전북보다 점수가 높아야 합니다. 현재 전북이 울산보다 점수가 높습니다.

15 네 지역이 리그전으로 축구 경기를 합니다. 이기면 3점, 비기면 1점, 지면 0점을 얻습니다. 다음 표는 울산과 전북, 서울과 수원의 경기를 제외한 모든 경기가 끝난 후 결과를 정리한 표입니다.

지역 \ 결과	승	무	패	점수
울산	0	2	0	2
전북	1	0	1	3
서울	1	1	0	4
수원	0	1	1	1

서울이 1등, 울산이 2등을 하려면 울산과 전북의 경기 결과, 서울과 수원의 경기 결과는 어떻게 되어야 하는지 찾아 ○표 하시오.

① 울산과 전북의 경기: ㉠ 울산의 승 ㉡ 무승부 ㉢ 전북의 승
② 서울과 수원의 경기: ㉠ 서울의 승 ㉡ 무승부 ㉢ 수원의 승

유형3-2

1반과 2반의 경기에서 1반이 이기는 경우, 2반이 이기는 경우와 비기는 경우로 나누어 생각합니다. 3반과 4반은 동점이 될 수 없습니다.

16 네 반이 리그전으로 야구 경기를 합니다. 이기면 3점, 비기면 2점, 지면 1점을 얻습니다. 다음 표는 1반과 2반, 3반과 4반의 경기를 제외한 모든 경기가 끝난 후 결과를 정리한 표입니다.

반 \ 결과	승	무	패	점수
1반	0	1	1	3
2반	0	0	2	2
3반	1	1	0	5
4반	2	0	0	6

동점인 반이 있으려면 1반과 2반, 3반과 4반의 경기 결과는 어떻게 되어야 하는지 찾아 ○표 하시오.

① 1반과 2반의 경기: ㉠ 1반의 승 ㉡ 무승부 ㉢ 2반의 승
② 3반과 4반의 경기: ㉠ 3반의 승 ㉡ 무승부 ㉢ 4반의 승

접는 선

예비 활동 가이드 정답 및 풀이

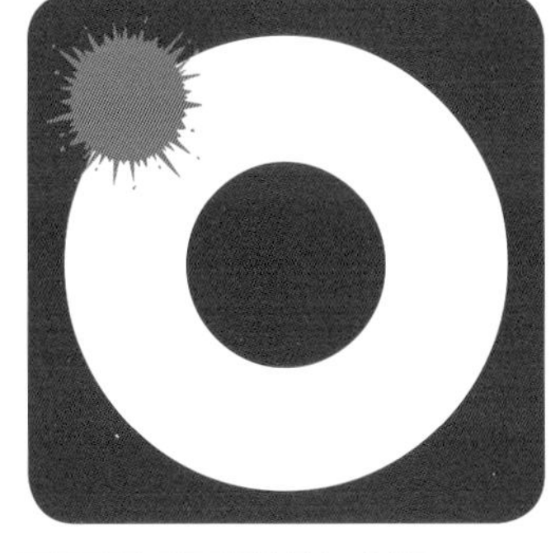

예비 활동 가이드

- 다양한 활동 방법 제시
- 예비 활동을 위한 활동 자료
- 본문의 이해를 돕는 예비 학습

정답 및 풀이

- 상세한 풀이 수록

사고력 수학

규칙 / 확률과 통계

천종현수학연구소

정답

1. 수의 규칙

9쪽

생각열기

일의 자리 숫자는?

수 □를 △번 곱한 수의 일의 자리 숫자를 □[△]라고 약속합니다. 예를 들어 2×2×2 = 8이므로 2[3]=8이고 3×3×3×3 = 81이므로 3[4] = 1입니다.

2[1]부터 2[6]까지 일의 자리 숫자를 써넣으시오.

2[1] = 2
2[2] = 4
2[3] = 8
2[4] = 6
2[5] = 2
2[6] = 4

2를 8번 곱한 수의 일의 자리 숫자를 구하시오.

6

10쪽

2를 10번 곱한 수의 일의 자리 숫자를 구하시오.

4

[풀이] 2, 4, 8, 6의 순서로 일의 자리 숫자가 반복됩니다.

똑같은 수를 연속해서 곱할 때 일의 자리 숫자가 항상 같은 것에 모두 ○표 하시오.

① 3 4 ⑤

[풀이]
3을 연속해서 곱하면 3, 9, 7, 1이 일의 자리 숫자로 반복되고, 4를 연속해서 곱하면 4, 6이 일의 자리 숫자로 반복됩니다.

11쪽

탐구주제 1 묶어서 규칙 찾기

탐구 유형 1-1 수 피라미드의 규칙

[정답] (1) 13 (2) 33, 43

[풀이]
오른쪽으로 한 칸 가면 수가 2 커집니다. ㉡ 위에 칸이 5개 있기 때문에 ㉡ = 23 + 10 = 33입니다. ㉡에서 5칸 오른쪽으로 가면 ㉢이기 때문에 ㉢ = ㉡ + 10 = 33 + 10 = 43입니다.

연습 01

[정답]

(1) 7, 9, 3, 1, 7, 9, 3, 1, 7, 9, 3, 1

(2) 3, 7, 11, 15, 19, 23, 27

(3) 1, 2, 4, 7, 11, 16, 22, 29

(4) 45, 44, 42, 39, 35, 30, 24, 17

[풀이]
(1): 같은 수 4개가 반복됩니다.
(2): 수가 4씩 커집니다.
(3): 수가 커지는 크기가 1, 2, 3, ⋯ 순으로 점점 커집니다.
(4): 수가 작아지는 크기가 1, 2, 3, ⋯ 순으로 점점 작아집니다.

12쪽

연습 02

[정답] 19개

[풀이]

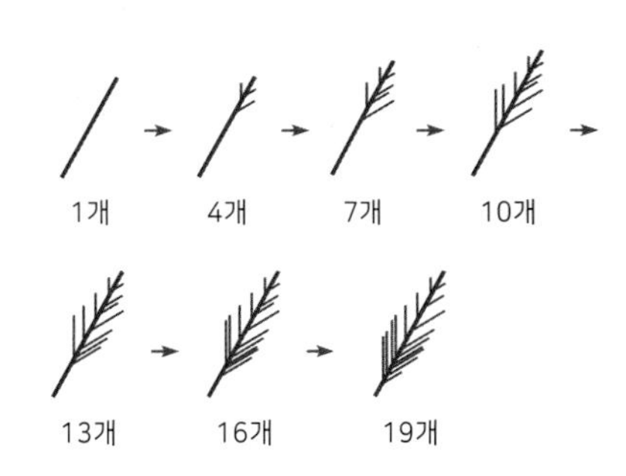

7번째 가지는 첫 번째 가지보다 3 × 6 = 18(개) 더 많습니다.

03

[정답] 8번째

[풀이]
다음과 같이 위치가 바뀝니다.

8번째 → 6번째 → 9번째 → 7번째 → 10번째 → 8번째

04

[정답] 9개

[풀이]
다음과 같이 동전의 개수가 줄어듭니다.

30개 → 29개 → 27개 → 24개 → 20개 → 15개 → 9개

13쪽

탐구 유형 1-2 **규칙 속의 규칙**

[정답]

(1)

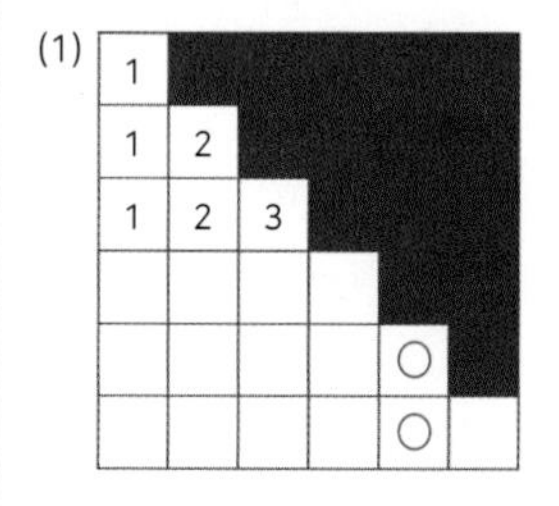

(2) 20번째

[풀이]
두 번째 ○표보다 윗줄의 칸의 개수는 모두
1+2+3+4+5=15(개)이고 가장 밑 줄에서 ○표 한 칸은
5번째에 있으므로 두 번째로 나오는 5는 20번째 수입니다.

01

[정답] (1) (2, 1, 3), (3, 2, 4), (4, 3, 5), (5, 4, 6), (6, 5, 7)

(2) (5, 4, 3, 2, 1), (4, 3, 2, 1), (3, 2, 1), (2

(3) (2), (2, 3), (2, 3, 5), (2, 3, 5, 8), (2, 3, 5, 8, 12)

[풀이]
(1): (2, 1, 3)을 시작으로 한 묶음에 3개씩 모든 수가 1씩 커집니다.
(2): 묶음 안의 수의 개수는 5개, 4개, 3개, ⋯ 로 계속 줄고 묶음 안의 수의 개수부터 시작해서 1씩 작아집니다.
(3): 묶음 안의 수의 개수는 1개, 2개, 3개, ⋯ 로 계속 늘고 묶음 안의 수는 2부터 시작해서 더해지는 수가 1씩 커집니다.

14쪽

탐구 유형 1-3 **수 배열표와 규칙**

[정답]

(1)

1열	2열	3열	4열	5열
1		2		3
	4		5	
6		7		8
	9		10	
11		12		13
	14		15	
		⋮		

(2) 5 (3) 5열

[풀이]
아래로 2칸 이동할 때마다 5씩 커지므로 같은 열의 수끼리는 5를 최대한 빼고 남은 수가 서로 같습니다. 23에서 5를 최대한 빼면 3이 남으므로 23은 3이 있는 5열의 수입니다.

01

[정답] 27

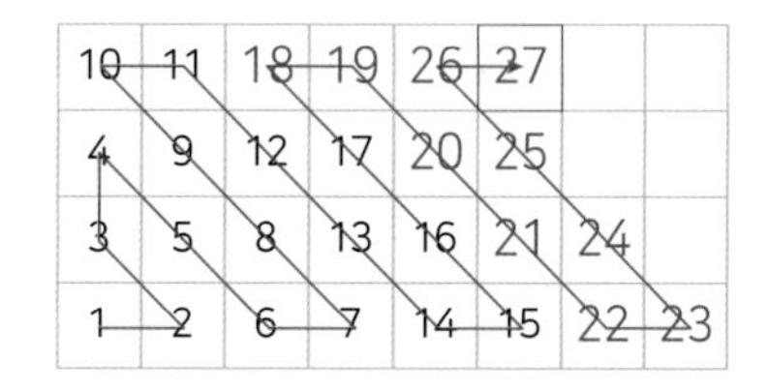

[풀이]
빨간색 선을 따라 1씩 커집니다. 위 또는 오른쪽으로 한 칸 움직인 후 대각선 방향으로 가도록 선을 그릴 수 있습니다.

15쪽

02

[정답] 4열

[풀이]
홀수와 짝수를 나누어 생각합니다. 빨간색 선을 따라 홀수를 순서대로 써넣고 파란색 선을 따라 짝수를 순서대로 써넣습니다. 단, 5열에 있는 수 다음에 오는 수는 그 아랫줄 1열에 써넣습니다. 27은 홀수이므로 홀수를 살펴보면 일의 자리가 7일 때 4열에 옵니다.

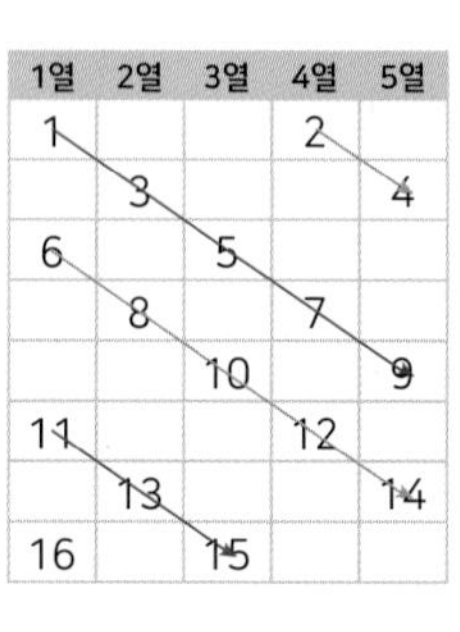

[정답]

[풀이]

1부터 시작해서 1씩 커지게 수를 가운데에서 가장자리로, 다시 가장자리에서 가운데로 연속해서 시계방향으로 써넣습니다. 중간에 검은색 □가 있으면 그다음 흰색 □에 써넣습니다.

16쪽

커지고 작아지고

빨간색 점을 한 끝으로 하는 선분의 개수를 구하시오.

4개

점이 5개일 때 그릴 수 있는 선분의 개수를 구하시오.

10개

[풀이]

점 ㉠, ㉡, ㉢, ㉣ 중 2개를 양 끝으로 하는 선분이 6개, 점 ㉤을 한끝으로 하는 선분이 4개 있으므로 모두 10개의 선분을 그릴 수 있습니다.

가람이는 점 6개 중 2개를 이어 선분을 그리고 나영이는 점 4개 중 2개를 이어 선분을 그립니다. 두 사람이 그릴 수 있는 선분의 개수의 차를 구하시오.

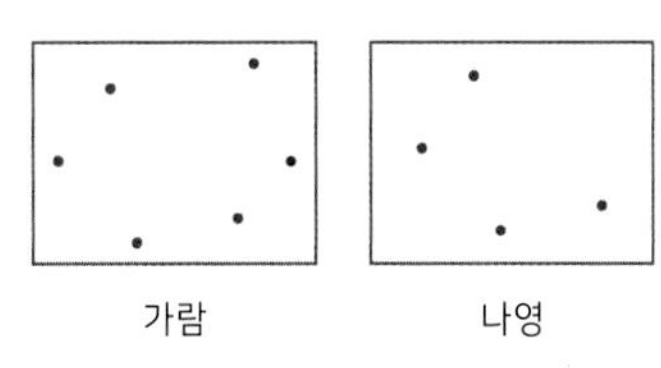

9개

[풀이]

	선분의 총개수
점 2개	선분 1개
점 3개	선분 1+2=3개
점 4개	선분 1+2+3=6개
점 5개	선분 1+2+3+4=10개
점 6개	선분 1+2+3+4+5=15개

$4+5=9$(개)

17쪽

탐구 유형 2-1 조각의 개수를 구하라

[정답] (1) 2조각 (2) 11조각

[풀이]

자르는 선 하나가 끈을 두 번 지나가므로 한 번 자를 때마다 2조각 더 생깁니다. 5번 자르면 10조각 더 생깁니다.

[정답] 8조각

[풀이]

가로로 한 번 자르면 2조각이 되므로 세로로 한 번 자를 때마다 2조각이 새로 생깁니다.

18쪽

[정답] 7조각

[풀이] 자르는 선과 끈이 만나는 횟수만큼 조각이 새로 생깁니다. 만나는 횟수가 1번씩 늘어나고 있습니다.

[정답] 30개

[풀이]

세 번째 그림과 비교했을 때 4×4개의 정사각형을 더 그릴 수 있습니다.

$1\times1+2\times2+3\times3+4\times4=1+4+9+16=30$(개)의 정사각형을 그릴 수 있습니다.

19쪽

탐구 유형 2-2 번식하는 세균

[정답]

(1)

일	1	2	3	4	5	6	7
세균 1마리	2	4	8	16	32	64	128
세균 2마리	4	8	16	32	64	128	256

(2) 6일

[풀이] 세균 2마리를 넣고 1일이 지나면 4마리가 되고 6일이 지나면 병이 가득 찹니다.

01

[정답] 5달

[풀이]
한 달 전 대나무의 높이는 지금 대나무 높이의 절반입니다. 6달 후에 대나무가 다 자라므로 그 한 달 전인 5달 후에는 대나무의 높이가 절반만큼 자랍니다.

20쪽

02

[정답] 5번

[풀이]
덜어내기 전의 바둑돌 개수는 덜어낸 후의 바둑돌 개수의 2배입니다. 7번 덜어내니 바둑돌 1개가 남으므로 6번 덜어내면 2개, 5번 덜어내면 4개가 남습니다.

03

[정답] 6마리

[풀이]
토끼 2마리는 1년 후에 6마리가 되고 다시 4년이 더 지나 총 5년이 지나면 섬이 가득 찹니다. 섬이 가득 차기까지 5년이 걸리는 것을 1년 빠르게 하려면 처음부터 1년 후의 마릿수(6마리)를 놓으면 됩니다. 따라서 처음에 6마리를 풀어놓으면 4년 후에 섬이 가득 찹니다.

04

[정답] 2

[풀이]
수가 2번 변할 때마다 2배씩 됩니다. 따라서 1번째 수가 1일 때 3번째 수는 2, 5번째 수는 4, 7번째 수는 8, ⋯이 됩니다.
수 1이 2번 변하면 2가 되고 다시 8번 더 변해 11번째 수 ㉠이 되므로, 처음의 수가 2일 때 이 수가 8번 변하면 9번째 수는 ㉠이 됩니다.

21쪽

연산 약속

탐구 유형 3-1 **하나의 기호 두 개의 규칙**

[정답] (1) 1 (2) 35 (3) 12 (4) 1

[풀이] 두 수가 같을 때는 똑같은 수가 되고 두 수가 다를 때는 두 수의 차가 됩니다.

01

[정답] (1) 7 (2) 9 (3) 4

[풀이]
계산 결과가 앞의 수보다 크거나 같은 경우는 두 수의 합, 앞의 수보다 작은 경우는 두 수의 차로 생각합니다.

22쪽

02

[정답]

㉠ 1★2=2-1=1	㉡ 8★9=9-8=1
㉢ 3★3=3-3=0	㉣ 5★8=8-5=3
㉤ 4★4=4-4=0	㉥ 4★3=4+3=7
㉦ 5★3=5+3=8	㉧ 11★8=11+8=19

[풀이] 앞의 수가 더 크면 두 수의 합이, 그렇지 않으면 두 수의 차가 나옵니다.

03

(1) 3 ♡ 8 = 3 × 8 = 24 (2) 8 △ 7 = 8 - 7 = 1

(3) 9 △ 9 = 9 + 9 = 18

[풀이]
△는 두 수가 다르면 두 수의 차가, 두 수가 같으면 두 수의 합이 나오는 규칙입니다. ♡는 두 수가 다르면 두 수의 곱이, 두 수가 같으면 똑같은 수가 나오는 규칙입니다.

23쪽

 탐구 유형 3-2 **규칙대로 수 바꾸기**

[정답] (1) 6, 77 (2) 5

[풀이]
한 자리 수는 그 숫자가 두 번 반복된 두 자리 수가 되고 두 자리 수는 일의 자리와 십의 자리 숫자를 더한 값이 됩니다.
7은 77이 되고 77은 7 + 7 = 14가 되고 14는 1 + 4 = 5가 됩니다.

01
[정답] (1) 6 (2) 2 (3) 1

[풀이]

일의 자리 숫자가 십의 자리 숫자보다 크면 두 숫자의 차, 그렇지 않으면 두 숫자의 합이 됩니다.
(1) 42는 4 + 2 = 6이 됩니다.
(2) 57은 7 - 5 = 2가 됩니다.
(3) 66은 6 + 6 = 12가 되고 12는 2 - 1 = 1이 됩니다.

24쪽

TOP 사고력

01
[정답] 27개

[풀이]
구슬의 개수가 늘어나거나 줄어드는 양이 1개, 2개, 3개, ··· 순으로 변합니다. 따라서 7번째 구슬의 개수는
30 + 1 - 2 + 3 - 4 + 5 - 6 = 27(개)입니다.

02
[정답] 5개

[풀이]
위아래로 이웃한 △모양과 ▽모양을 묶으면 가장 아래 줄에서 △모양의 개수만큼 △모양이 더 많습니다. 5번째 그림에서 가장 아래 줄의 △모양의 개수는 5개입니다.

25쪽

03
[정답] 4, 7

[풀이]
두 자리 수는 일의 자리와 십의 자리 숫자의 차가 되고 한 자리 수는 그 수를 두 번 곱한 값이 됩니다.
5는 똑같은 두 수의 곱이 아니므로 두 자리 수가 변해 5가 됩니다. 따라서 5가 될 수 있는 수는 일의 자리와 십의 자리 숫자의 차가 5인 수로 16, 27, 38, 49, 50, 61, 72, 83, 94가 있습니다. 이 중 16(= 4 × 4), 49(= 7 × 7)만 같은 두 수의 곱입니다.

04
[정답] 1월 7일

[풀이]
첫 번째 우주선은 지구에서 출발한지 3일 후인 1월 4일에 지구에서 화성 사이의 거리의 4배인 곳까지 갑니다. 두 번째 우주선은 1월 1일에 지구에서 화성까지 거리의 4배까지 이미 갔기 때문에 첫 번째 우주선보다 3일 빠르게 출발했습니다. 따라서 센타우리 별에 도착하는 날짜도 3일이 빠른 1월 7일이 됩니다.

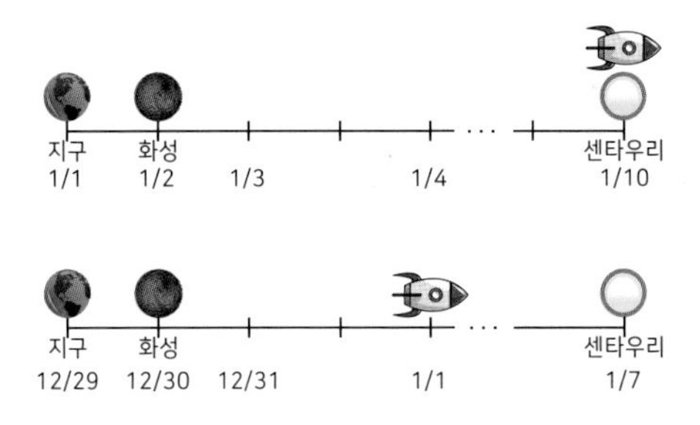

2. 모양 규칙

27쪽

톱니 바퀴가 도는 방향

⑩번 톱니바퀴가 도는 방향을 그려서 나타내시오.

도는 방향이 잘못된 톱니바퀴에 ○표 하시오.

28쪽

팽이의 도는 방향의 규칙을 보고 14번째 팽이의 도는 방향을 그리시오.

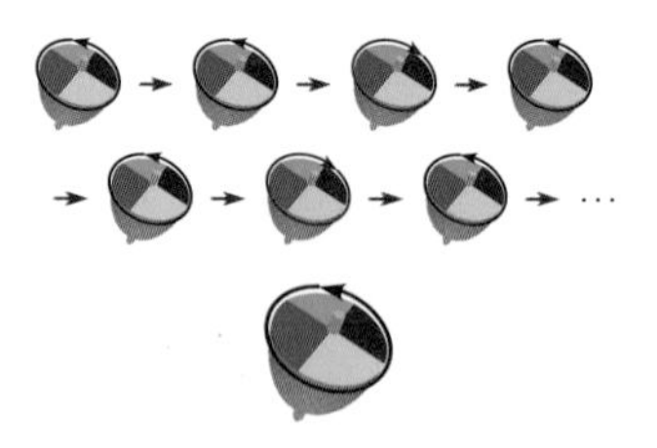

[풀이]

1, 2번째 팽이는 시계 반대 방향으로, 3번째 팽이는 시계 방향으로 돕니다. 1번째 팽이부터 3개씩 묶었을 때 팽이의 도는 방향은 일정하게 변합니다.

29쪽

탐구 유형1-1 변하는 원판

[정답] (1) 5번째 (2)

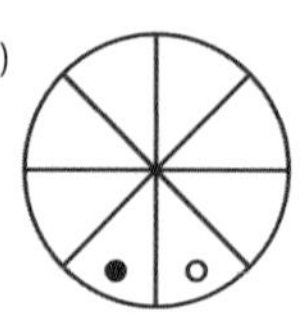

[풀이]

●는 시계 방향으로, ○는 시계 반대 방향으로 2칸씩 움직입니다. 칸의 개수는 8개 이므로 같은 모양이 4번마다 반복됩니다. 1번째 모양은 5번째 모양과 같고 10번째 모양은 10 - 4 - 4 = 2 이므로 2번째 모양과 같습니다.

01

[정답]

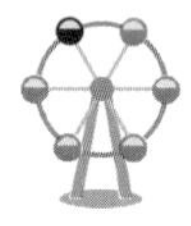

[풀이]

빨간색 칸은 시계 방향으로 한 번에 한 칸씩 움직이고 있습니다. 칸의 개수는 6개이므로 6번마다 칸의 위치가 같습니다. 따라서 11에서 6을 뺀 5번째 대관람차 빨간색 칸의 위치는 11번째 대관람차 빨간색 칸의 위치와 같습니다.

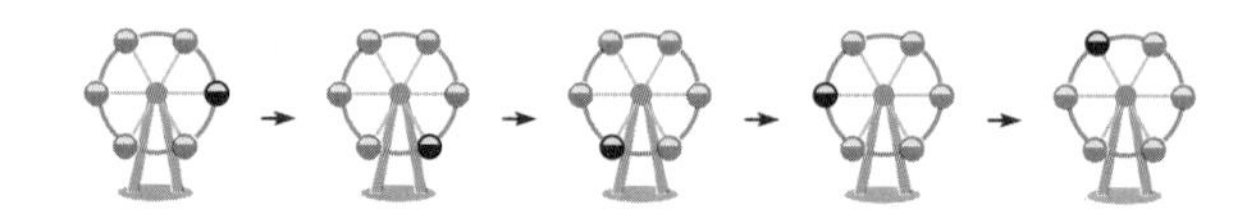

30쪽

02

[정답]

[풀이]

검은색 바둑돌 7개가 연속으로 붙어있고 시계 방향으로 마지막 바둑돌 다음 위치로 검은색 바둑돌의 위치가 이동합니다.

03

[정답]

1	2
4	3

6	3
5	4

7	8
6	5

8	9
7	10

9	10
12	11

[풀이]

수가 2씩 커지고 시계 방향으로 이웃한 칸으로 이동합니다.

04

[정답]

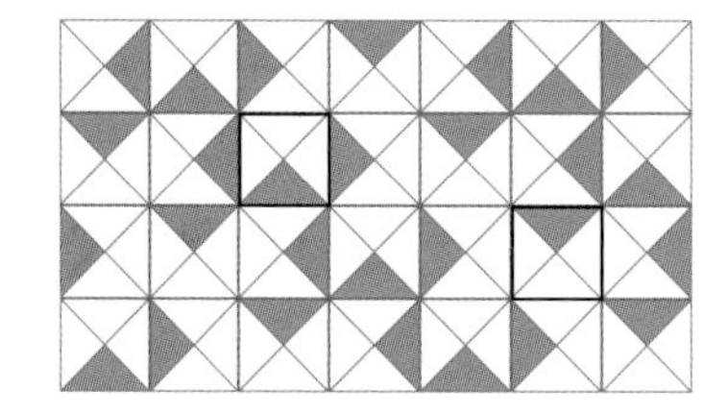

[풀이]

아래로 한 칸 이동하면 만큼 한 번, 오른쪽으로 한 칸 이동하면 만큼 한 번 돌립니다.

31쪽

탐구 유형 1-2 **돌아라 숫자판**

[정답]

(1)

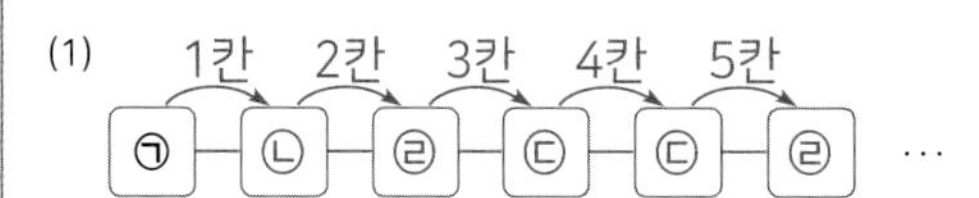

(2)

3	5
1	9

[풀이]

숫자는 시계 방향으로 1칸, 2칸, 3칸…씩 순서대로 회전합니다. 6번째 숫자판에서 1의 위치는 ㉣의 위치와 같고, 수가 놓인 순서는 변하지 않으므로 다른 수의 위치도 구할 수 있습니다.

01

[정답] 10시

[풀이]

오른쪽으로 갈수록 시간이 1시간, 2시간, 3시간, …씩 지납니다. 5번째 시계의 시각은 6시 + 4시간 = 10시입니다.

32쪽

02

[정답]

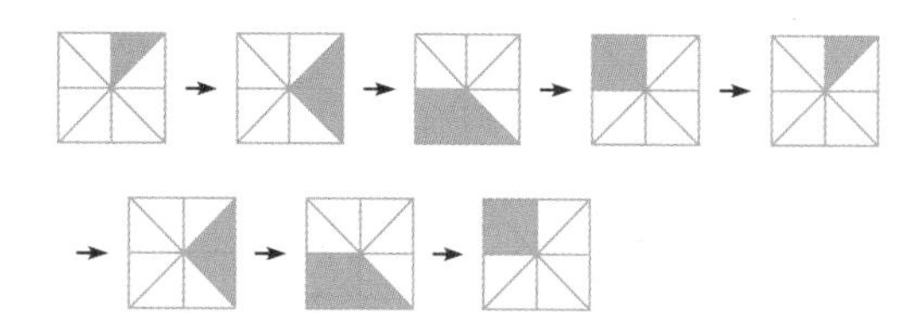

[풀이]

색칠한 칸이 시계 방향으로 이동합니다. 이 때 색칠한 칸의 개수는 1, 2, 3, 2의 순서로 반복됩니다.

03

[정답]

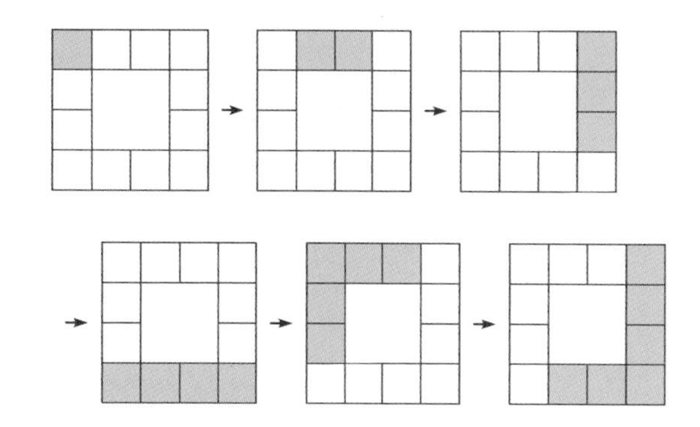

[풀이]

색칠한 칸이 시계 방향으로 이동합니다. 이때 색칠한 칸의 개수는 1개부터 시작해서 계속 1씩 늘어납니다.

33쪽

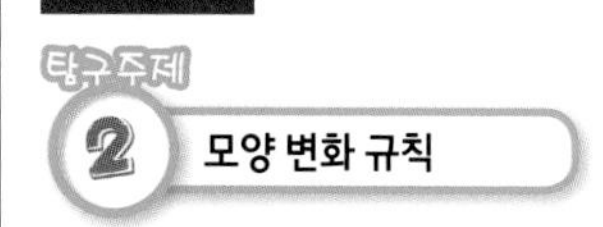

탐구 유형 2-1 **두 모양이 하나로**

[정답]

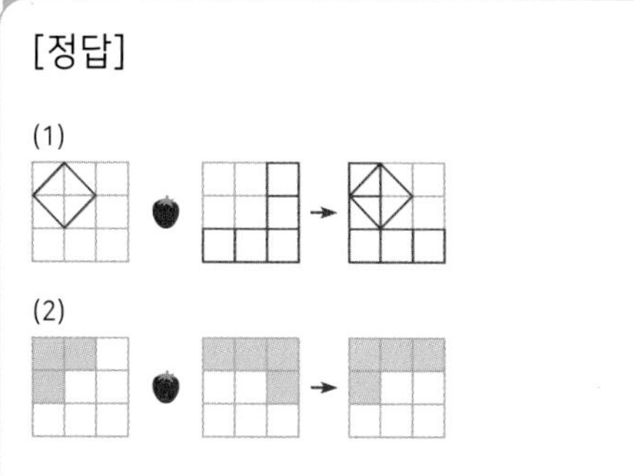

[풀이] 오른쪽 모양만 오른쪽으로 한 번 뒤집은 후 겹칩니다.

01

[정답]

(1)
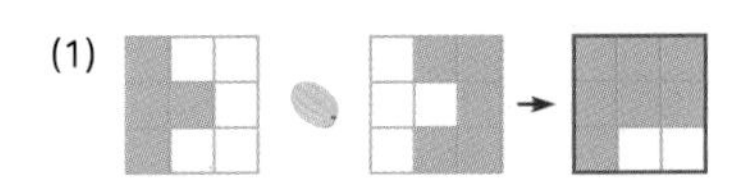

(2)
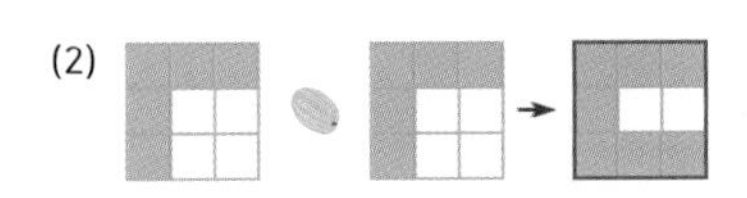

[풀이] 오른쪽 모양만 만큼 한 번 돌린 후 겹칩니다.

34쪽

02

[정답]

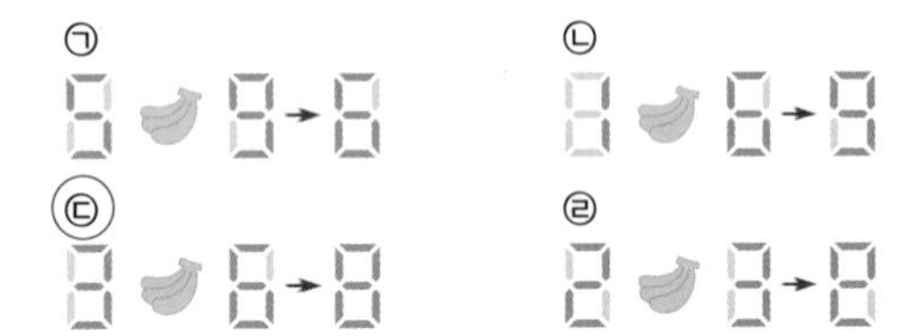

[풀이] ㉢만 숫자를 돌리지 않고 그대로 겹쳤습니다. 다른 숫자들은 오른쪽 숫자를 반바퀴 돌린 후 겹칩니다.

03

[정답]

(1)
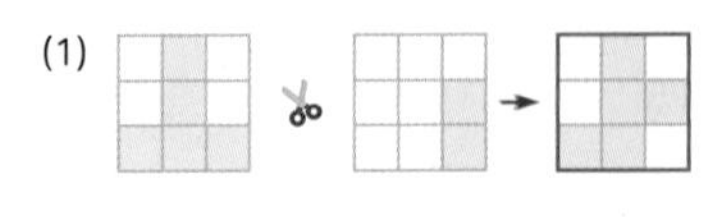

(2)
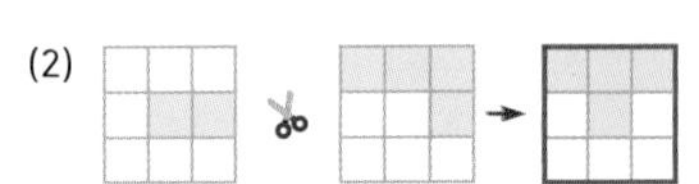

[풀이]

두 도형을 겹쳐서 공통인 부분을 제외하고 나머지 두 도형을 합하는 규칙입니다.

35쪽

탐구 유형 2-2 **빈칸의 모양**

[정답] (1)

(2) ●

[풀이] ★모양과 ★모양 사이의 모양이 ● ◆ ▲ ▼로 시작해서 오른쪽 모양부터 한 개씩 없어집니다. 마지막에는 ●모양만 남습니다.

01

[정답]

(1) (○ □ □ ☆) (○ □ □ ☆) (○ □ □ ☆) (○ □ □ ☆)

(2) (○ □ □ ☆ ♡) (○ □ □ ☆) (○ □ □) (○ □) (○)

[풀이]

(1) ○ □ □ ☆ 순서로 모양이 반복됩니다.

(2) ○ □ □ ☆ ♡의 5개 모양이 나오고 다음 묶음부터는 오른쪽 모양부터 1개씩 줄어듭니다.

02

[정답]

[풀이]

○ □ □ ◇ ☆ 모양이 반복되고 색깔은 흰색과 검은색이 반복됩니다.

36쪽

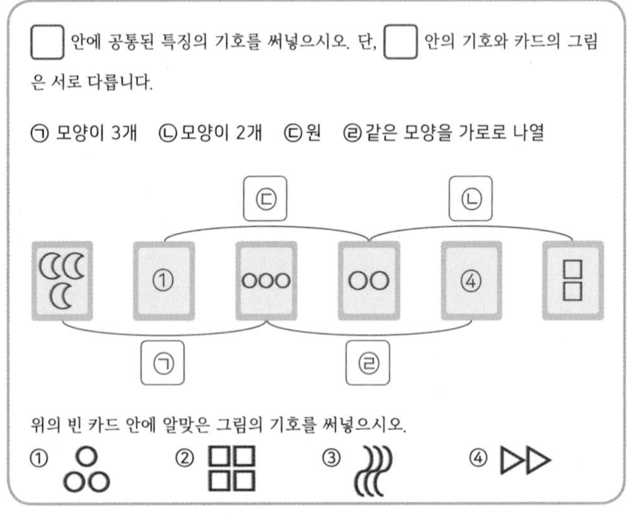

[풀이]

왼쪽에서 3번째 카드 속 모양은 2개가 아니기 때문에 ㉡을 오른쪽 위에 써넣습니다. 왼쪽에서 4번째 카드 속 모양은 3개가 아니기 때문에 ㉠을 왼쪽 아래에 써넣습니다.

37쪽

탐구 유형 3-1 그림 카드의 관계

[정답]

(1) 3개　　(2)

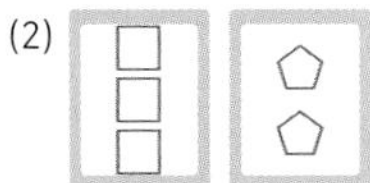

[풀이]

왼쪽 카드에는 오른쪽 카드의 도형보다 변이 1개 적은 도형이 1개 더 많이 있습니다. 도형은 두 카드 안에 모두 세로로 나열되어 있습니다.

연습 01

[정답]

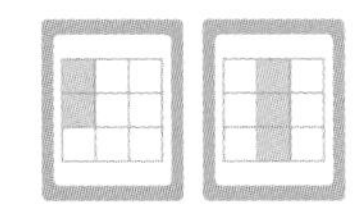

[풀이]

왼쪽 카드의 색칠한 칸은 오른쪽 카드의 색칠한 칸보다 1개 적고 위에서 아래로 색칠되어 있으며 왼쪽으로 한 칸 이동한 곳에 있습니다. 단, 오른쪽 카드의 색칠된 칸이 가장 왼쪽에 있다면 왼쪽 카드의 색칠된 칸은 가장 오른쪽에 있습니다.

38쪽

연습 02

[정답]

㉠

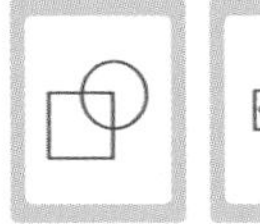

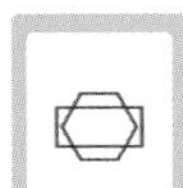

㉡

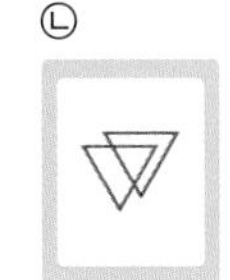

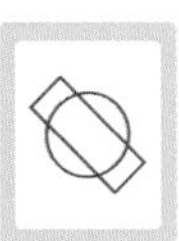

㉢

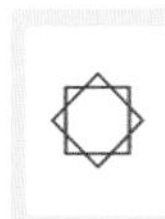

㉣

[풀이]

㉠, ㉡, ㉣은 모양과 모양이 만나는 점이 왼쪽은 2개, 오른쪽은 4개로 2개 차이나지만 ㉢은 모양과 모양이 만나는 점이 왼쪽은 2개, 오른쪽은 8개로 6개 차이납니다.

연습 03

[정답]

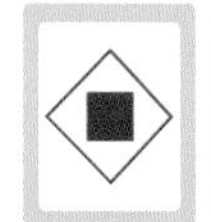

[풀이]

두 카드 모두 도형 두 개가 있고 한 도형이 다른 한 도형 안에 있는데 안쪽에 있는 도형은 검은색입니다. 이때 안팎의 위치가 서로 반대입니다.

39쪽

탐구 유형 3-2 공통점이 있는 카드

[정답]

(1) 하얀색 모양만 있습니다.

(2)

연습 01

[정답]

초록색 카드 속 모양은 선과 선이 만나지 않지만 파란색 카드 속 모양은 선과 선이 만납니다.

40쪽

연습 02

[정답]

(1) 모양이 가로로 길게 놓여있습니다.

(2) 모양 안에 들어있는 모양이 있습니다.

(3) 모양이 한 개라도 있습니다.

(4) 검은색 도형과 흰색 도형의 개수가 같습니다.

41쪽

03
[정답]

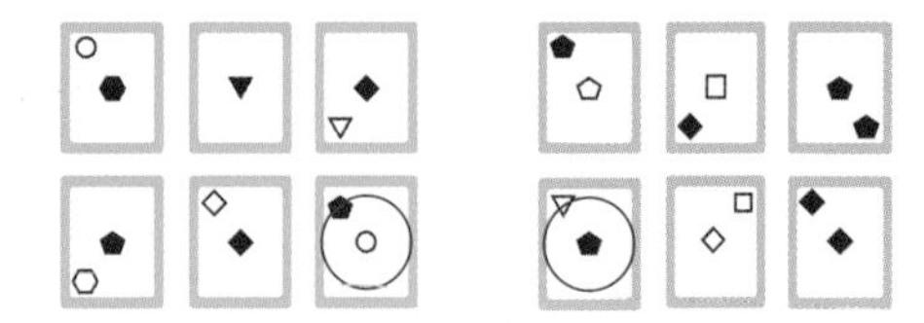

[풀이]
○표한 카드끼리 바꾸면 초록색 카드는 검은색 도형이 가운데, 흰색 도형이 모서리에 있게 됩니다.

04
[정답]

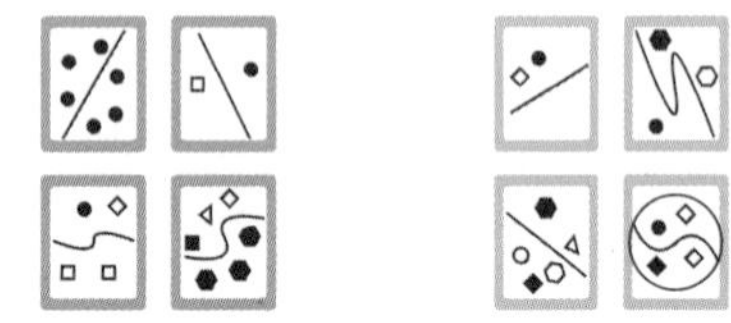

[풀이]
주황색 카드는 선 하나가 카드를 2부분으로 나누고 2부분에 있는 도형의 개수가 서로 같습니다.

42쪽

01
[정답]

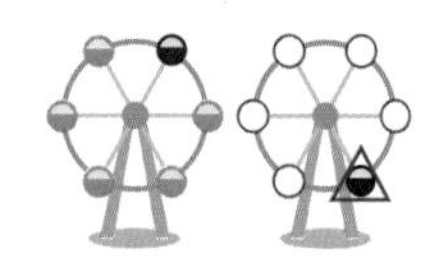

[풀이]
빨간색 칸은 한 번에 시계 방향으로 한 칸씩 움직이고 파란색 칸은 한 번에 시계 반대 방향으로 두 칸씩 움직입니다. 3번째 그림에서 3번 더 움직이면 빨간색 칸의 위치가 □ 안과 같고, 이때 파란색 칸의 위치는 3번째 그림과 같습니다.

02
[정답]

[풀이]
삼각형이 시계 반대 방향으로 반의 반바퀴씩 돌고 있습니다. 또한 색깔도 검은색 흰색이 반복되고 있습니다. 두 흰색 사이의 검은색 삼각형의 개수는 1개에서 2개, 3개로 늘어나고 3개에서 2개, 1개로 줄어드는 것을 반복하고 있습니다.

43쪽

03
[정답]
조건①: 도형이 두 개씩 있다.
조건②: 도형의 일부가 겹쳐져 있다.

[풀이]
초록색 카드는 조건①만 만족합니다.

04
[정답]

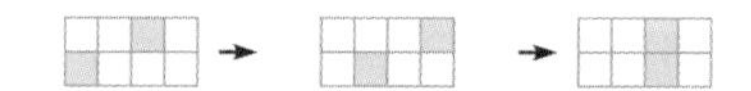

[풀이]
윗줄은 색칠된 칸이 한 칸씩 왼쪽 끝과 오른쪽 끝을 한 칸씩 움직이며 왕복하고 아랫줄은 색칠된 칸이 왼쪽 끝에서 오른쪽 끝까지 움직인 후 다시 왼쪽 끝으로 이동하는 규칙입니다.

3. 순서대로 나열하기

45쪽

생각열기

선분의 개수

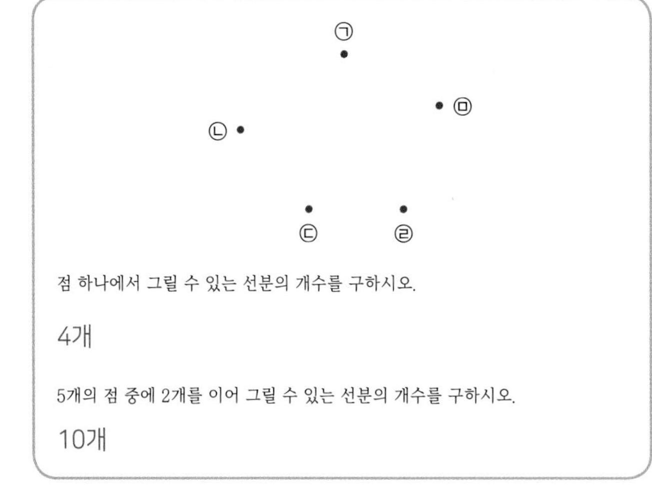

점 하나에서 그릴 수 있는 선분의 개수를 구하시오.

4개

5개의 점 중에 2개를 이어 그릴 수 있는 선분의 개수를 구하시오.

10개

46쪽

다음 조건을 만족하게 선분을 그렸습니다. 선분의 개수를 구하시오. 6개

㉠ : ㉢과 연결했고 다른 점과는 연결하지 않았습니다.
㉡ : 점 3개와 연결했습니다.
㉢ : 점 4개와 연결했습니다.
㉣, ㉤: 점 2개와 연결했습니다.

㉠ ㉤ ㉡ ㉢ ㉣

[풀이]
㉠, ㉡, ㉢, ㉣, ㉤를 한 끝으로 하는 선분의 개수는 각각 1개, 3개, 4개, 2개, 2개입니다. 합하면 모두 12개인데 선분은 양 끝에 점이 있으므로 똑같은 선분을 두 번 센 것입니다. 12를 반으로 가른 6개의 선분을 그릴 수 있습니다.

47쪽

송연이가 가위를 냈을 때 깜이, 냥이가 낼 수 있는 방법이 몇 가지 있는지 구하시오.

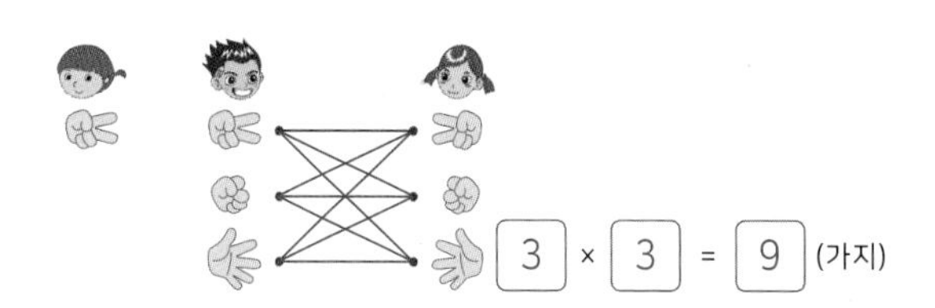

송연이가 바위, 보를 냈을 때 깜이, 냥이가 낼 수 있는 방법이 몇 가지 있는지 구하시오.

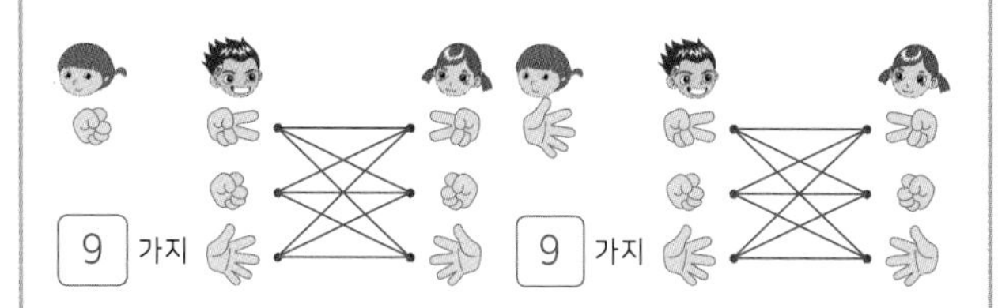

깜이, 냥이, 송연이가 가위바위보를 할 때 나올 수 있는 결과가 몇 가지 있는지 곱셈식을 만들어 구하시오.

3 × 3 × 3 = 27 (가지)

48쪽

깜이가 먼저 과자 하나를 고르고 냥이가 남은 과자를 고릅니다. 깜이와 냥이가 고른 과자가 다르도록 둘이 고른 과자를 연결하시오.

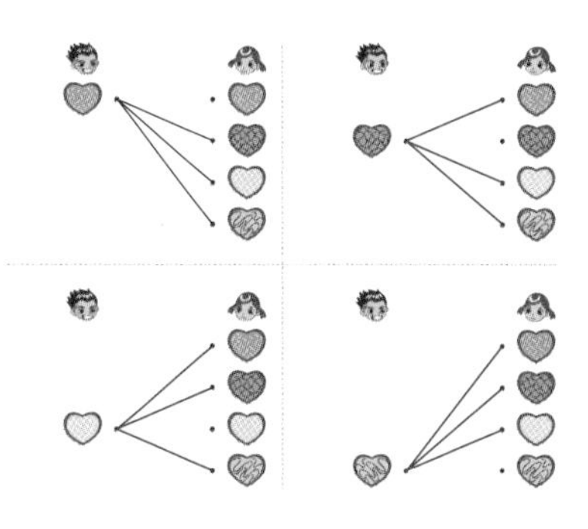

깜이와 냥이가 과자를 고르는 방법은 모두 몇 가지인지 곱셈식을 만들어 구하시오.

4 × 3 = 12 (가지)

49쪽

탐구 유형1-1 **색칠하는 방법의 개수**

[정답]

(1)

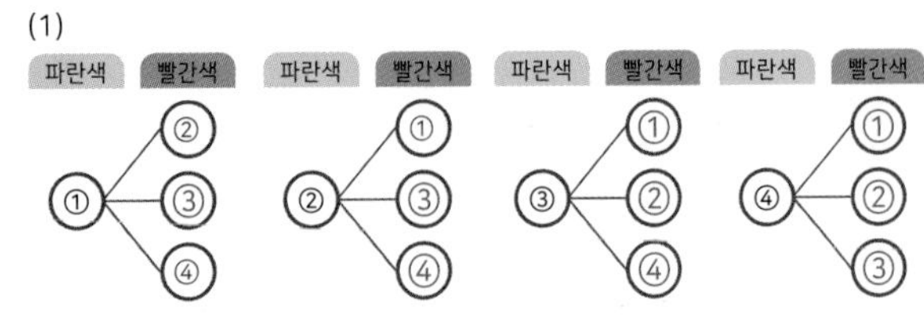

(2) 4 × 3 = 12 (가지)

[풀이]

파란색, 빨간색 순서로 칠한다면 4칸 중 하나에 파란색을 칠하고, 나머지 3칸 중 하나에 빨간색을 칠할 수 있습니다.

01

[정답]

5 × 4 = 20 (가지)

[풀이]

효진이, 기범이 순서로 앉는다면 효진이는 5자리 중 하나에 앉고, 기범이는 나머지 4자리 중 하나에 앉을 수 있습니다.

50쪽

02

[정답]

6 × 5 = 30 (가지)

[풀이]

㉠, ㉡ 상자 순서로 공을 하나씩 넣는다면 ㉠ 상자에 넣을 수 있는 공은 6개 중 하나이고, ㉡ 상자에 넣을 수 있는 공은 나머지 5개 중 하나입니다.

03

[정답]

3 × 2 × 1 = 6 (가지)

[풀이]

빨간색, 파란색, 노란색 순서로 칠한다면 3칸 중 하나에 빨간색을 칠하고, 나머지 2칸 중 하나에 파란색을 칠하면 두 색깔을 칠하고 남는 칸이 1개로 노란색을 칠할 수 있습니다.

51쪽

탐구 유형1-2 **만들 수 있는 수의 개수**

[정답] (1) 9개 (2) 9개 (3) 81개

[풀이] 십의 자리에 올 수 있는 숫자는 1부터 9까지 9개 있고, 일의 자리에 올 수 있는 숫자는 0부터 9까지의 숫자 중 십의 자리에 사용한 숫자를 빼고 9개 있습니다.

01

[정답] 16개

[풀이] 십의 자리에 올 수 있는 숫자는 1, 3, 4, 7이고 일의 자리에 올 수 있는 숫자는 1, 3, 4, 7, 9 중 십의 자리에 사용한 숫자를 뺀 4개 있습니다. 4×4=16(개)입니다.

52쪽

탐구주제

2 **순서없이 세기**

5명 중 대표로 뽑히지 않는 2명을 고르는 방법은 몇 가지인지 구하시오.

10가지

5명 중 대표로 뽑히는 3명을 고르는 방법은 몇 가지인지 구하시오.

10가지

[풀이]

뽑히지 않는 사람 2명을 골라 제외하면 뽑히는 사람 3명만 남습니다.

53쪽

탐구 유형2-1 **무늬의 개수**

[정답]

(1), (2)

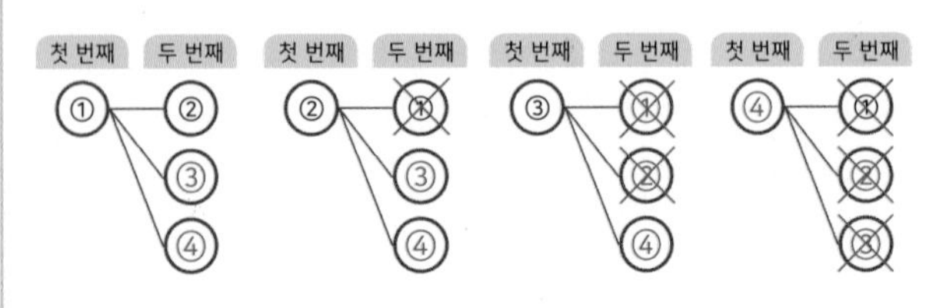

(3) 6가지

[풀이] 첫 번째에 칠할 수 있는 칸이 4개, 두 번째에 칠할 수 있는 칸이 3개로 4×3=12(가지)의 무늬가 생기지만 순서만 바뀐 같은 무늬를 제외하면 6가지가 됩니다.

54쪽

01

[정답] 10개

[풀이]
첫 번째로 점선 5개 중 하나를 따라 선을 그리고, 두 번째로 남은 점선 4개 중 하나를 따라 선을 그립니다. 모양은 모두 $5\times4=20$(개)이고 두 번 센 같은 모양을 제외하면 20개를 반으로 나눈 10개의 모양을 그릴 수 있습니다.

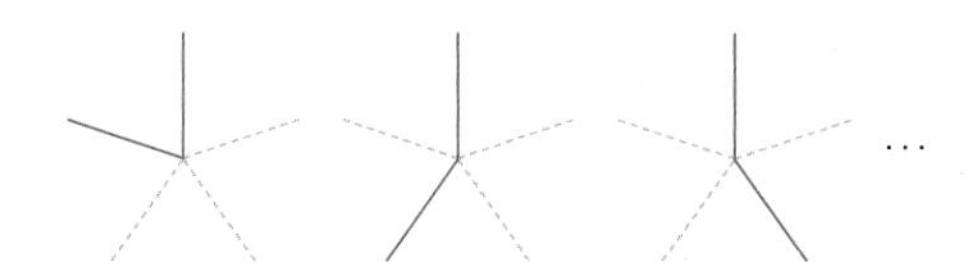

02

[정답] 9개

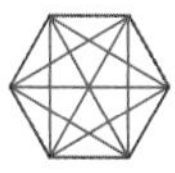

[풀이]
육각형의 각 꼭짓점마다 3개의 대각선을 그릴 수 있습니다. 모두 $6\times3=18$(개)를 그릴 수 있지만 두 번 센 같은 대각선을 제외하면 18개를 반으로 나눈 9개가 됩니다.

55쪽

탐구 유형 2-2 **사각형의 개수**

[정답] 15개

[풀이]
점 4개로 사각형 하나를 그릴 수 있습니다. 점 6개 중 4개를 고르는 방법의 개수는 점 6개 중 2개를 고르는 방법의 개수와 같습니다. 점 2개를 고르는 방법의 개수는 $6\times5=30$을 반으로 나눈 15가지입니다. 따라서 그릴 수 있는 사각형 역시 15개입니다.

01

[정답] 21가지

[풀이]
7개의 전구 중 2개를 꺼둔채로 놓는 방법의 개수와 같습니다. $7\times6=42$를 반으로 나눈 21가지 방법이 있습니다.

02

[정답] 28가지

[풀이]
8칸 중 6칸을 칠하는 방법의 개수는 8칸 중 색칠하지 않는 칸 2 개를 고르는 방법의 개수와 같습니다.
$8\times7=56$을 반으로 가른 28가지 방법이 있습니다.

56쪽

탐구주제 3 **합과 곱**

보라색 카드 한 장마다 만들 수 있는 두 자리 수의 개수를 구하시오.

1 : 3 개 2 : 3 개 3 : 3 개

보라색, 주황색 카드로 만들 수 있는 두 자리 수의 개수를 구하시오. 9개

파란색 카드로 만들 수 있는 두 자리 수의 개수를 구하시오. 3개

카드로 만들 수 있는 두 자리 수의 개수를 모두 구하시오. 12개

[풀이]
보라색, 주황색 카드를 사용해 만들 수 있는 수가 $3\times3=9$(개), 파란색 카드를 사용해 만들 수 있는 수가 3개이므로 $9+3=12$(개)의 두 자리 수를 만들 수 있습니다.

57쪽

탐구 유형 3-1 **뽑기 당첨**

[정답] (1) 5가지 (2) 2가지 (3) 7가지

[풀이]
3과 7은 짝수가 아니므로 짝수를 뽑는 방법의 개수에 2가지를 더하면 당첨되는 방법의 수가 나옵니다.

01

[정답] 12가지

[풀이] 세 건물로 가는 길의 개수를 더해 구합니다.

02

[정답] 3권

[풀이]
위인전이 □권 있다면 □+4+5=12이므로 □=3입니다.

58쪽

탐구 유형 3-2 메뉴의 종류

[정답] (1) 4개 (2) 16가지 (3) 4가지 (4) 20가지

[풀이]
햄버거가 4가지, 추가 메뉴가 4가지 있으므로 햄버거 세트를 주문할 수 있는 방법은 4×4=16(가지)입니다. 치킨은 4가지 있으므로 주문할 수 있는 방법은 16+4=20(가지)입니다.

59쪽

01
[정답] 12가지

[풀이]
라면이 3가지, 김밥이 4가지 있으므로 만들 수 있는 세트메뉴는 3×4=12(가지)입니다.

02
[정답] 26가지

[풀이]
셔츠와 바지를 하나씩 입는 방법은 5×4=20(가지)이므로 옷을 입는 방법은 20+6=26(가지) 있습니다.

03
[정답]

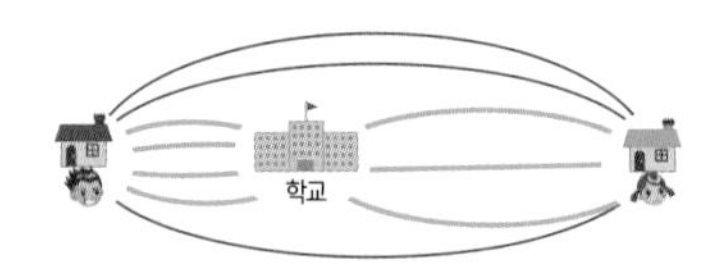

[풀이]
깜이 집에서 학교를 거쳐 냥이 집으로 가는 방법은 4×3=12(가지) 있습니다. 깜이 집에서 바로 냥이 집까지 가는 길이 3개 있어야 깜이 집에서 냥이 집까지 가는 방법이 15가지가 됩니다. 길의 위치와 상관없이 학교를 거치지 않는 길 3개를 그리면 됩니다.

60쪽

TOP 사고력

01
[정답] 9가지

[풀이]
1, 1, 4를 고르거나 1, 2, 4를 고르면 4의 배수를 만들 수 있습니다. 1, 1, 4로 4의 배수를 만드는 방법은 (1, 1, 4), (1, 4, 1), (4, 1, 1)로 3가지이고 1, 2, 4로 4의 배수를 만드는 방법은 3×2×1=6(가지) 있으므로 모두 9가지 방법이 있습니다.

02
[정답] 15가지

[풀이]
세 번째 사각형은 칠하지 않으므로 6개의 사각형 중 2개를 칠하는 방법을 구합니다. 6×5=30을 반으로 나눈 15가지 방법이 있습니다.

61쪽

03
[정답]

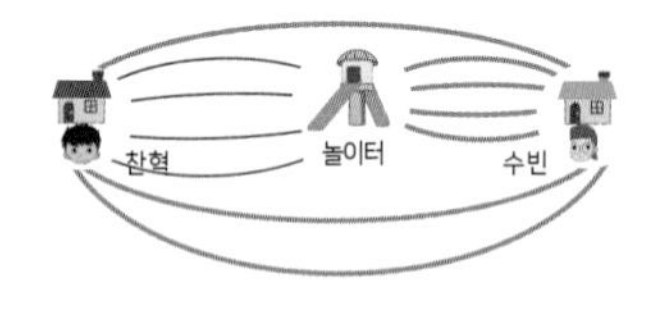

[풀이]
찬혁이 집에서 놀이터를 거쳐 수빈이 집까지 가는 방법은 19 - 3=16(가지)가 되어야 합니다. 찬혁이 집에서 놀이터까지 가는 길이 □개 있다면 □×4=16이므로 찬혁이 집에서 놀이터까지 가는 길은 4개입니다.

04
[정답] 20개

[풀이]
점 ㉠부터 ㉤까지 5개 중 3개를 골라 삼각형을 만드는 방법은 남는 2개를 고르는 가짓수와 같으므로 5×4=20을 반으로 가른 10가지입니다. 여기에 점 ㉥까지 사용한다면 새롭게 만들 수 있는 삼각형은 ㉥을 한 꼭짓점으로 하고 ㉠부터 ㉤까지의 점 중 2개를 나머지 꼭짓점으로 하기 때문에 점 5개 중 2개를 고르는 방법의 개수와 같은 10가지입니다.
따라서 10(점 5개로 만들 수 있는 삼각형)+10(점 ㉥을 꼭짓점으로 하는 삼각형)=20(개)의 삼각형을 만들 수 있습니다.

4. 리그와 토너먼트

63쪽

생각열기 **월드컵 예선전**

하나의 조 안에서 열리는 경기 수를 구하시오. 6경기

한국이 속한 예선전 결과를 정리한 표에서 한국의 성적만 지워져 있습니다. 빈 칸을 채워 한국이 몇 승 몇 패를 했는지 구하시오. 1승 2패

국가＼결과	승	패
한국	1	2
독일	1	2
스웨덴	2	1
멕시코	2	1

64쪽

영국과 튀니지 중 한 나라의 성적이 잘못되었습니다. 성적이 잘못된 나라에 △표 하고 오른쪽 표에 맞는 결과를 써넣으시오.

국가＼결과	승	패
벨기에	3	0
영국(△)	3	0
튀니지	1	2
파나마	0	3

국가＼결과	승	패
벨기에	3	0
영국	2	1
튀니지	1	2
파나마	0	3

[풀이]

벨기에가 모든 경기를 이겼기 때문에 영국이 3승을 할 수는 없습니다.

65쪽

탐구주제 1 경기의 수

탈락하는 팀에 X표 한다면 4팀이 참가하는 토너먼트 대진표에서 X표를 몇 번 해야 하는지 구하시오. 3번

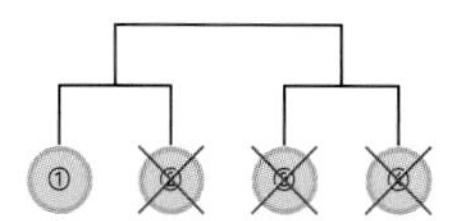

①팀에서 ④팀까지 4개 팀이 참가하는 토너먼트 경기에서 우승자 한 팀을 결정하기 위해 몇 경기 해야 하는지 구하시오. 3경기

66쪽

탐구 유형 1-1 **토너먼트 경기 우승자**

[정답] (1) 4팀 (2) 4경기

[풀이]

아래와 같이 경기를 해 우승팀을 가릴 수 있습니다. 한 경기마다 탈락하는 팀이 하나씩 생깁니다.

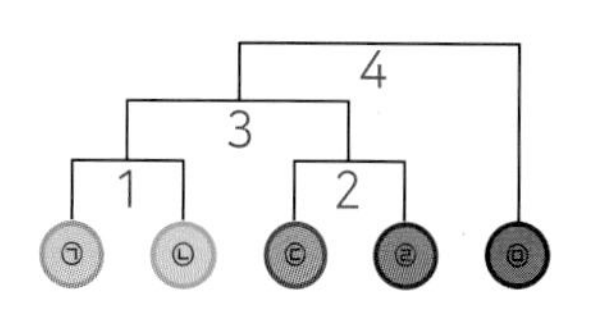

연습 01

[정답] 5경기

[풀이] 탈락하는 팀이 5팀 있어야 합니다.

67쪽

연습 02

[정답] 10팀

[풀이] 탈락하는 팀이 9팀, 우승하는 팀이 1팀 있습니다.

연습 03

[정답] 8경기

[풀이] 8팀이 보통의 토너먼트 경기를 하면 7경기를 하고, 여기에 3, 4위전을 하면 모두 8경기를 해야 합니다.

연습 04

[정답] 10경기

[풀이] 각 조마다 5경기씩 해야 합니다.

68쪽

탐구 유형 1-2 **국가 대표 선발전**

[정답] (1) 10경기 (2) 20경기

[풀이]

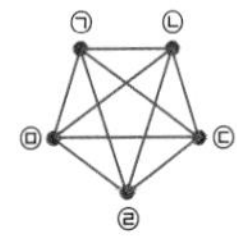

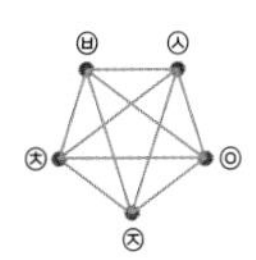

경기 수는 점과 점을 이어 그릴 수 있는 선의 개수와 같습니다. 한 조에 5명이 참가하고 각각 4명과 경기하므로 5×4=20(경기)이고 두 번 센 같은 경기를 제외하면 20경기를 반으로 가른 10경기입니다.

01

[정답] 24경기

[풀이]

한 조에서 열리는 경기는 4×3=12를 반으로 가른 6경기입니다. 16개 국가가 참가하므로 조는 4개 있고, 따라서 모두 6×4=24(경기)가 열립니다.

69쪽

02

[정답] 15경기

[풀이] 6×5=30을 반으로 가른 15경기를 하게 됩니다.

03

[정답] 9경기

[풀이]

리그전에서 5명이 참가하는 경기 수는 5×4=20을 반으로 가른 10경기입니다. 여기서 리아와 명수의 경기를 제외하면 10-1=9(경기)입니다.

04

[정답] 6팀

[풀이]

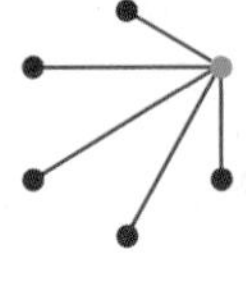

작년에 참가한 팀을 검은색 점, 올해 새로 참가한 팀을 파란색 점으로 표시합니다. 두 팀간의 경기를 선분으로 표시할 때, 파란색 점을 한 끝으로 하는 선분을 5개 그릴 수 있어야 작년보다 5경기를 더 하게 됩니다. 따라서 올해 참가한 팀은 6팀입니다.

70쪽

반＼결과	승	무	패	득점	실점
1반	1	1	1	5	5
2반	3	0	0	9	3
3반	1	1	1	6	7
4반	0	0	3	3	8

2반부터 4반까지는 승무패가 모두 기록되어 있지만 1반은 승리한 횟수만 기록되어 있습니다. 다른 반의 성적과 비교하여 1반의 무승부 수, 패배한 수를 구하시오. 1무, 1패

1반이 넣은 골의 수를 구하시오. 5골

71쪽

2 경기의 결과

탐구 유형 2-1 **1등팀의 성적은?**

[정답]

(1) 3경기, 6경기 (2) 5승 (3) 1승

(4)

국가＼결과	승	무	패
캐나다	3	0	0
러시아	1	1	1
핀란드	1	1	1
스웨덴	0	0	3

[풀이]

무승부가 한 경기 있고 스웨덴이 0승이므로 나머지 3개 국가의 승수의 합은 5입니다. 러시아, 핀란드는 한 번씩 비겼기 때문에 두 나라의 승수로 가능한 수는 0, 1, 2입니다. 러시아, 핀란드가 0승을 했다면 4개 나라의 승수의 합이 5가 될 수 없고 러시아, 핀란드가 2승을 했다면 캐나다는 1승으로 승수가 가장 많을 수 없게 됩니다.

72쪽

01

[정답]

국가＼결과	승	무	패
한국	3	0	1
일본	2	0	2
이란	2	1	1
중국	2	0	2
이라크	0	1	3

[풀이]
한국을 제외한 4개 국가의 승수의 합은 10-1-3=6입니다. 일본, 이란, 중국이 0승이거나 1승일 때는 이라크의 승수가 가장 적다는 조건을 만족할 수 없습니다.

02

[정답] 4번

[풀이]
가위바위보를 할 때마다 이긴 사람이 올라가는 칸수와 진 사람이 올라가는 칸수는 같습니다. 따라서 계단의 번호의 합은 항상 5×4=20으로 처음과 같습니다. 세 사람의 번호의 합이 3+5+8=16이므로 민재는 4번 계단에 서있습니다.

73쪽

탐구 유형 2-2 **득점수로 승패 찾기**

[정답]

(1) 4골 (2) 1승 1무 0패

(3)

국가＼결과	승	무	패	득점	실점
영국	1	1	0	4	3
프랑스	0	0	2	1	3
독일	1	1	0	3	2

[풀이]
"득점의 합 = 실점의 합"이므로 영국의 득점수는 4골입니다. 영국은 "득점>실점"이므로 적어도 한 경기는 이겼습니다. 그리고 독일이 한 번 비겼으므로 영국도 한 경기를 비겨야 합니다. 따라서 영국은 1승 1무 0패입니다.

01

[정답] 일본

[풀이] "득점의 합 = 실점의 합"이므로 일본의 득점수는 4골입니다. 일본은 "득점=실점"이므로 모든 경기에서 지지 않았습니다. 따라서 일본은 1번 이겼습니다.

74쪽

02

[정답]

국가＼결과	승	무	패	득점	실점
독일	3	0	0	6	3
체코	0	2	1	5	6
그리스	1	1	1	6	5
벨기에	0	1	2	4	7

[풀이] "득점의 합 = 실점의 합"이므로 독일의 득점수는 6골입니다. 체코는 "득점<실점"이므로 적어도 한 경기는 졌습니다. 따라서 체코는 1번 졌습니다.

03

[정답]

국가＼결과	승	무	패	득점	실점
브라질	3	0	0	9	⑨
칠레	1	1	1	6	6
멕시코	1	0	2	7	7
페루	0	1	2	4	④

[풀이]
브라질은 한 번도 지지 않았으므로 "득점>실점"입니다. 따라서 "9골>실점"이어야 합니다. 페루는 한 번도 이기지 못했으므로 "득점<실점"이어야 합니다. 따라서 "4<실점"이어야 합니다.

75쪽

탐구 유형 3-1 **월드컵의 경기 수**

[정답]

(1) 예선 경기 수: 48 경기 본선 진출 팀 수: 16 팀

(2) 16경기 (3) 64경기

[풀이]
예선전에는 32개 팀이 참가하므로 8개 조가 있고 한 조에 6경기씩 열리므로 예선 경기 수는 8×6=48(경기)입니다. 본선에는 8개 조의 각 1, 2등들이 올라가므로 16개 팀이 올라가서 15경기를 치르고 3, 4위전까지 합치면 모두 15+1=16(경기)입니다.
48(예선전)+1(3,4위전)+15(나머지 본선)=64(경기)가 열립니다.

01

[정답] 65경기

[풀이]
예선전에는 한 조에 10경기씩 열리므로 예선 경기 수는 $6 \times 10 = 60$(경기)입니다. 본선에는 6개 조의 각 1등들이 올라가므로 6개 팀이 올라가서 5경기를 치릅니다. 따라서 모두 60+5=65(경기)입니다.

76쪽

탐구 유형 3-2 **본선 진출 팀은?**

[정답]

(1) (2반이 이길 때) 2반: 5 점 3반: 0 점

(3반이 이길 때) 2반: 2 점 3반: 3 점

(2) 2반: 3 점 3반: 1 점

(3) ㉠ 2반의 승 ㉡ 무승부 ㉢ 3반의 승 (㉠에 동그라미)

[풀이]
1반의 점수가 4점이므로 2반 또는 3반이 4점보다 높은 점수를 받을 수 있는 경우를 생각합니다.

77쪽

01

[정답] ㉠ 2반의 승 ㉡ 무승부 ㉢ 3반의 승 (㉡, ㉢에 동그라미)

[풀이]
남은 경기에서 2반이 3반보다 높은 점수를 얻지 못하면 3반이 우승하게 됩니다.

02

[정답]

① 부천과 충주 경기: ㉠ 부천의 승 ㉡ 무승부 ㉢ 충주의 승 (㉠에 동그라미)
② 전주와 경주 경기: ㉠ 전주의 승 ㉡ 무승부 ㉢ 경주의 승 (㉠에 동그라미)

[풀이]
부천과 충주는 동점이므로 부천은 충주와의 경기에서 이겨야 합니다. 충주와 전주의 점수 차는 2점이므로 전주는 경주와의 경기에서 2점보다 많은 점수를 얻어야 합니다.

78쪽

TOP 사고력

01

[정답] ②번 방법, 16경기

[풀이]
4명씩 리그전을 하면 한 조에 $4 \times 3 = 12$를 반으로 가른 6경기씩 하게 됩니다. ①번 방법대로 하면 모두 12경기를 하게 됩니다.
8명이 리그전을 하면 $8 \times 7 = 56$을 반으로 가른 28경기를 하게 됩니다. ②번 방법대로 하면 모두 28경기를 하게 됩니다.

[다른 풀이]
㉠조 4명을 빨간색 점, ㉡조 4명을 파란색 점으로 나타냅니다.

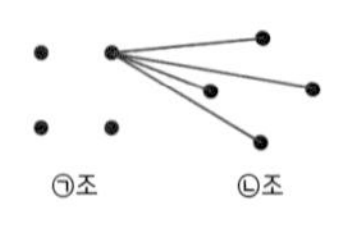

8명이 리그전으로 경기하는 것과 비교하면, 2개 조로 나눌 때 ㉠조에 속한 선수는 ㉡조에 속한 4명과는 경기를 하지 않습니다. ㉠조에 4명이 있으므로 2개 조로 나누어 경기를 하면 $16(=4 \times 4)$경기를 덜 하게 됩니다.

02

[정답]

국가＼결과	승	무	패	점수
1반	3	1	0	7
2반	3	0	1	6
3반	2	0	2	4
4반	1	0	3	2
5반	0	1	3	1

[풀이]
5팀이 리그전으로 경기를 하므로 $5 \times 4 = 20$을 반으로 가른 10경기를 합니다. 무승부가 한 경기 있으므로 승수의 합은 9입니다.
1등인 1반은 무승부가 1번 있으므로 점수는 7점입니다. 1반이 3승이므로 나머지 반의 승수의 합은 6(=9-3)이 되어야 하고 2반, 3반, 4반 중 비긴 경기가 있는 팀은 없으므로 세 나라의 승수는 서로 달라야 합니다. $6 = 3 + 2 + 1$이므로 2반은 3승, 3반은 2승, 4반은 1승을 하고 5반은 0승이 됩니다.

79쪽

03

[정답] 24팀

[풀이]

한 조에 3팀씩 있으므로 한 조(3팀)만 참가하면 3경기로 끝나지만 한 조(3팀)가 더 추가될 때마다 예선 3경기, 본선 1경기로 모두 4경기를 더 하게 됩니다.

$3+4+4+4+4+4+4+4=31$이므로 모두 8개 조가 참가해야 31경기를 할 수 있습니다. 참가 팀은 $3\times8=24$(팀)입니다.

04

[정답]

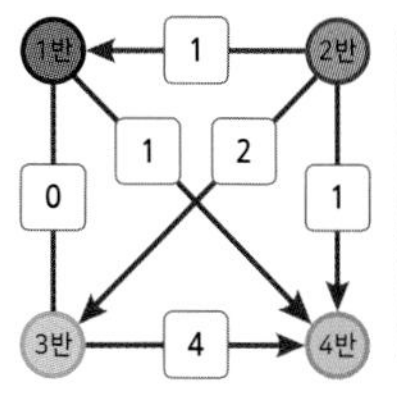

반＼결과	승	무	패	득점	실점
1반	1	1	1	4	4
2반	3	0	0	8	4
3반	1	1	1	4	2
4반	0	0	3	1	7

[풀이]

화살표와 실선 위의 수로 각 반의 득점의 합과 실점의 합을 비교할 수 있습니다. 1반에서 시작하는 화살표에 1, 1반에서 끝나는 화살표에 1, 선분에 0이 적혀 있으므로 1반의 득점은 실점보다 $1-1+0=0$(점) 많아 4점입니다. 같은 방법으로 각 반의 득점 수를 다음과 같이 구할 수 있습니다.

2반: $4+1+2+1=8$점

3반: $2+4+0-2=4$점

4반: $7-1-1-4=1$점

TOP 사고력 쑥쑥

81쪽

1. 논리 추론

01

[정답]

(1) 8, 6, 7, 5, 8, 6, 7, [5], 8, 6, 7, 5　　8, 6, 7, 5가 계속 반복됩니다.

(2) 34, 29, 24, 19, 14, [9], 4　　수가 5씩 계속 작아집니다.

(3) 20, 21, 23, 26, 30, [35], 41　　더해지는 수가 1씩 커집니다.

02

[정답] 10개

[풀이]

21개에서 5개 덜어 16개가 남습니다. 그다음에는 6개 덜어 10개가 남습니다.

82쪽

03

[정답] 22개

[풀이]

나뭇가지는 한 번에 4개씩 늘어납니다. 6번째가 되면 4개씩 5번 늘기 때문에 가지의 개수는 $2+20(=4\times5)=22$(개)입니다.

04

[정답]

(1) (3, 3, 1), (4, 4, 2), (5, 5, 3), (6, [6], 4), (7, 7, 5)

(2) (8, 7, 6, 5, 4), (7, 6, 5, 4), (6, 5, [4])

(3) (10), (10, 9), (10, 9, 8), (10, 9, 8, 7), (10, 9, 8, 7, [6])

[풀이]

(1): 수를 3개씩 묶으면 □ 안의 수는 4번째 묶음의 가운데 수입니다. 각 묶음의 가운데 수는 3부터 시작해 1씩 커집니다.

(2): 수를 5개, 4개, 3개씩 묶으면 묶음 안의 수는 1씩 작아지고 다음 묶음으로 갈수록 묶음 안의 첫 번째 수도 1씩 작아집니다.

(3): 수를 1개, 2개, 3개···씩 묶으면 묶음 안의 수는 1씩 작아집니다.

83쪽

05

[정답]

2	4	6	8
5	7	9	
8		12	14
11	13	15	

[풀이]

오른쪽으로 한 칸 움직이면 2만큼 커지고 아래로 한 칸 움직이면 3만큼 커집니다.

06

[정답] 1열

[풀이]

각 열의 수에 5를 더 이상 뺄 수 없을 때까지 빼면 열의 번호가 남습니다. 단, 5열의 수는 5의 배수입니다. 16에서 5를 더 이상 뺄 수 없을 때까지 빼면 1이 남습니다.(16-5-5-5=1)

84쪽

07

[정답] 10조각

[풀이]

S S S

4조각 7조각 10조각

한 번 자를 때마다 3조각이 더 생깁니다.

08

[정답] 20개

[풀이]

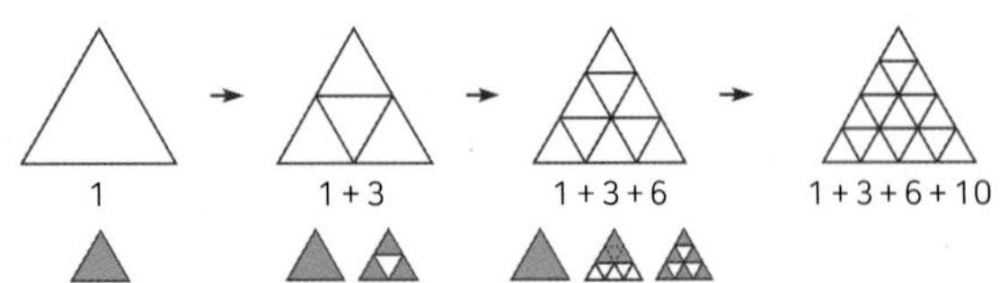

그릴 수 있는 △모양의 개수가 1, 4(=1+3), 10(=1+3+6), 20(=1+3+6+10)의 순서로 늘어납니다. 따라서 4번째에 그릴 수 있는 △모양의 개수는 20개입니다.

[다른 풀이]

(1)+(1+2)+(1+2+3)+(1+2+3+4)=1+3+6+10=20(개)입니다.

85쪽

09

[정답] 18조각

[풀이]

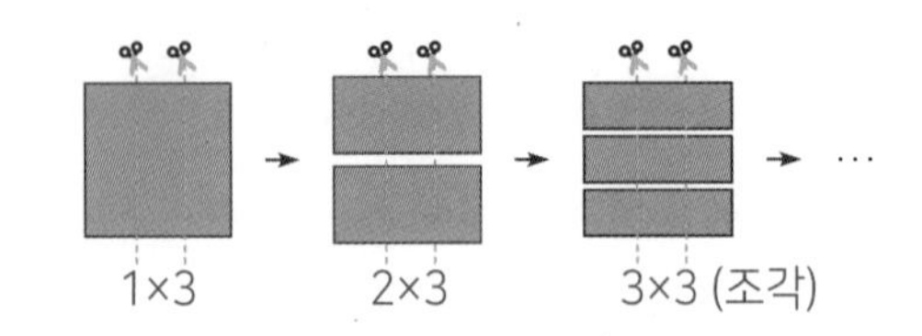

6번째는 그림대로 자르면 $6\times3=18$(조각)이 생깁니다.

10

[정답] 6일

[풀이]

일	1	2	3	4	5	6	7
개구리풀1개	1	2	4	8	16	32	64
개구리풀2개	2	4	8	16	32	64	

86쪽

11

[정답] 6번

[풀이]

8번 덜어내니 2개가 남으므로 7번 덜어내면 그 두 배인 4개, 6번 덜어내면 그 두 배인 8개가 남습니다.

12

[정답] 8

[풀이]

수 4가 2번 변하면 8이 되고 다시 7번 변하면 모두 9번 변해 10번째 수인 ㉠이 됩니다. 따라서 처음의 수가 8이면 7번 변해 수 ㉠이 됩니다.

87쪽

13

[정답]

(1) 9● 9 = 18 (2) 17● 16 = 1

(3) 22● 10 = 12 (4) 7● 7 = 14

[풀이]

같은 수 두 개가 있는 식의 결과는 두 수의 합, 다른 수 두 개가 있는 식의 결과는 두 수의 차입니다.

14

[정답]

(1) 6 ☆ 5 = 65 (2) 3 ▽ 3 = 0

(3) 9 ▽ 1 = 8 (4) 4 ☆ 5 = 20

[풀이]

▽은 뒤의 수가 크면 두 수의 합, 뒤의 수가 크지 않으면 두 수의 차가 나옵니다.

☆은 뒤의 수가 크면 두 수의 곱, 뒤의 수가 크지 않으면 두 수 중 앞의 수를 십의 자리, 뒤의 수를 일의 자리로 하는 두 자리 수가 됩니다.

88쪽

15

[정답] 풀이 참고

[풀이]

두 자리 수는 일의 자리와 십의 자리 숫자의 차가 되고 한 자리 수는 그 수를 두 번 곱한 값이 됩니다.

9 → 🍎 → 81 → 🍎 → 7 → 🍎 → 49

16

[정답] 풀이 참고

[풀이]

일의 자리와 십의 자리 숫자가 같으면 그 숫자를 두 번 곱한 값, 다르면 두 숫자의 합이 됩니다.

(1) 78 → ⚾ → 15

(2) 35 → ⚾ → 8

(3) 66 → ⚾ → 36 → ⚾ → 9

89쪽

2. 모양 규칙

01

[정답]

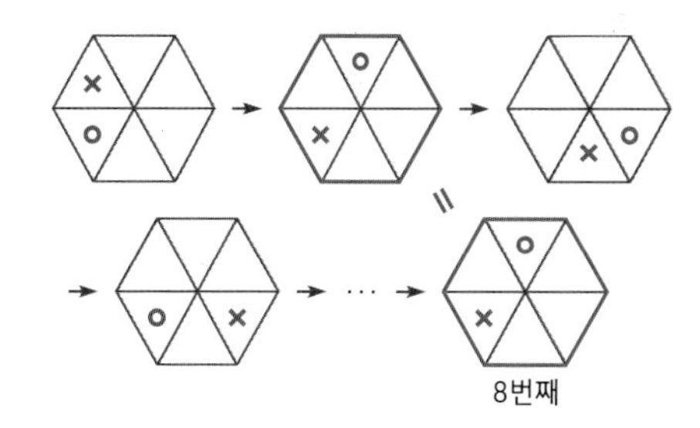

[풀이]

X는 시계 반대 방향으로 한 칸씩, ○는 시계 방향으로 두 칸씩 움직이고 있습니다. 따라서 X는 6번마다 같은 위치로 돌아오고 ○는 3번마다 같은 위치로 돌아옵니다.

전체 모양은 6번마다 같은 모양이 되므로 8번째 모양은 2번째 모양과 같습니다.

02

[정답]

4	5
7	6

[풀이]

각 칸의 수는 1씩 커지면서 시계 반대 방향으로 한 칸씩 움직입니다.

90쪽

03

[정답]

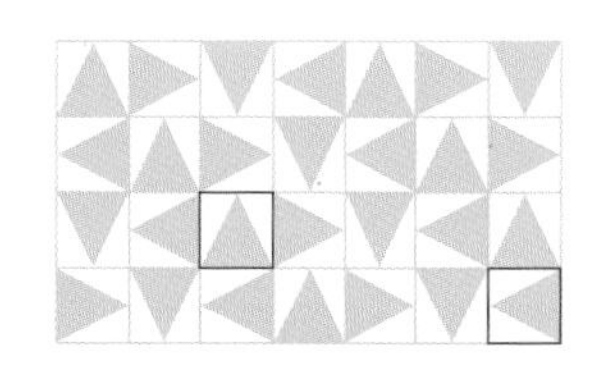

[풀이]

오른쪽으로 한 칸 움직이면 만큼 한 번 돌고 아래로 한 칸 움직이면 만큼 한 번 돕니다.

04

[정답] 5시

[풀이]

짧은 바늘이 12시를 기준으로 홀수 번째 시계는 시계 방향으로 큰 눈금 1칸, 3칸, 5칸, … 움직인 위치에, 짝수 번째 시계는 시계 반대 방향으로 큰 눈금 2칸, 4칸, 6칸, … 움직인 위치에 있습니다.

91쪽

05

[정답]

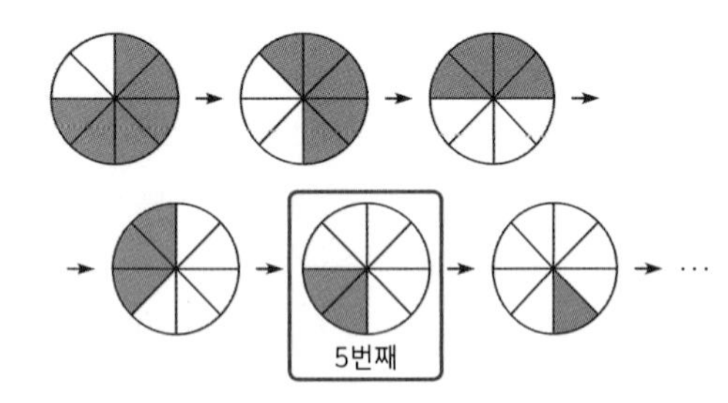

[풀이]

빈칸이 시계 반대 방향으로 한 칸씩 이동하고, 새로운 빈칸이 하나 더 생겨서 5번째는 빈칸이 6칸, 색칠된 칸이 2칸입니다.

06

[정답]

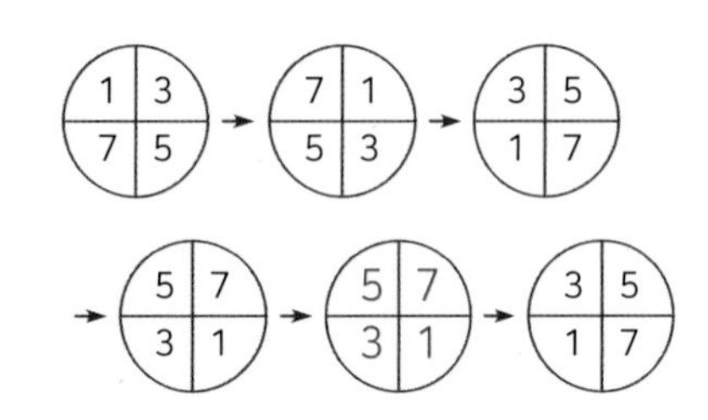

[풀이]

각 수의 위치가 시계 방향으로 1칸, 2칸, 3칸, … 씩 연속해서 움직입니다. 5번째는 4번째 원의 수가 시계 방향으로 4칸씩 움직인 위치에 있으므로 4번째 원의 수와 위치가 같습니다.

92쪽

07

[정답] 

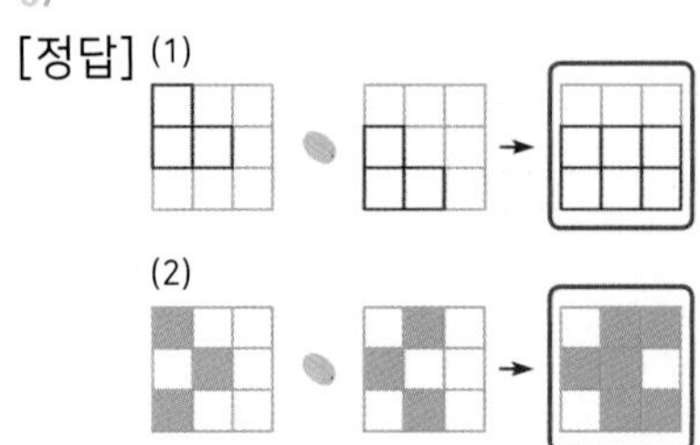

[풀이]

오른쪽은 그대로 두고 왼쪽 모양을 반 바퀴 돌린 후 겹칩니다.

08

[정답]

[풀이]

㉠, ㉡, ㉢은 두 모양에서 공통으로 칠해진 칸을 찾은 후 오른쪽 모양에서 공통으로 칠해진 칸의 색을 지웁니다. ㉣은 왼쪽 모양을 오른쪽으로 한 번 뒤집은 후 두 모양을 겹칩니다.

93쪽

09

[정답]

(1) (● △ ▲ ○ ★) (○ ▲ △ ● ☆) (● △ ▲ ○ ★)

(2) (○ △ □ ▷ ☆) (○ △ □ ▷) (○ △ □) (○ △)

[풀이]

(1): ● △ ▲ ○ ★ 다섯 모양이 계속 반복되며 검정색/흰색이 번갈아 나타납니다.

(2): 처음에는 5개의 모양이 나오고 그 다음부터는 모양의 개수가 뒤에서부터 하나씩 줄어듭니다.

10

[정답]

○■▲ ◇ ●■△ ※ ●□▲◆ ○ ■▲◇

[풀이]

○□△◇순서로 모양이 반복되면서 모양과 상관없이 흰색, 검정색, 검정색으로 색이 변합니다. X표 한 곳에는 검은색 모양이 나와야 합니다.

94쪽

11

[정답]

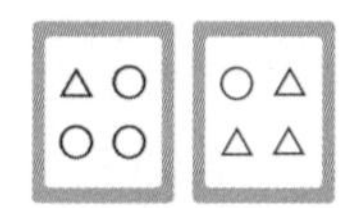

[풀이]

카드 하나에 두 종류의 도형들이 있습니다. 도형의 개수와 위치는 양쪽 카드가 서로 반대입니다.

12

[정답]

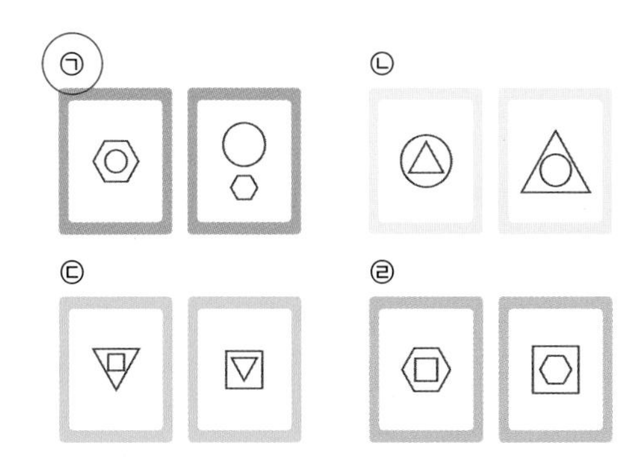

[풀이]

㉡, ㉢, ㉣카드의 그림은 도형 안에 다른 도형이 있습니다. 이때 안쪽, 바깥쪽에 있는 도형의 종류는 왼쪽 카드와 오른쪽 카드가 서로 반대입니다.

95쪽

13

[정답]

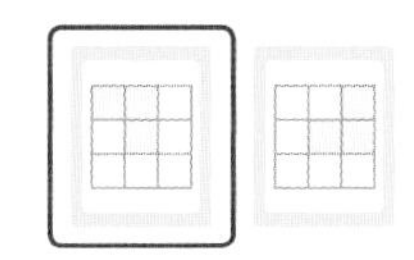

[풀이]

오른쪽 카드의 그림을 만큼 한 번 돌린 것과 같습니다.

14

[정답]

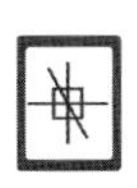 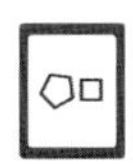  

[풀이] 선을 따라 한 번에 그릴 수 있는 것을 찾습니다.

96쪽

15

[정답]

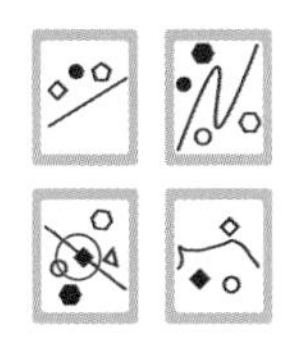

[풀이] 모모인 것은 선 위에 도형이 하나 있습니다.

16

[정답] 모양이 홀수 개 있습니다.

[풀이]

노란색 카드의 모양의 개수는 5개, 1개, 3개, 5개, 1개, 7개이고, 파란색 카드의 모양의 개수는 4개, 2개, 6개, 2개, 4개, 4개입니다.

97쪽

3. 순서대로 나열하기

01

[정답]

2 × 2 × 2 × 2 = 16 (가지)

[풀이]

동전 1개를 던져서 나올 수 있는 방법은 2가지이고 한 개 더 던질 때마다 2를 곱해 방법의 가짓수를 구할 수 있습니다. 동전 4개를 던지면 2를 4번 곱합니다.

02

[정답]

4 × 3 = 12 (가지)

[풀이]

4칸 중 하나에 초록색을 칠하고, 남은 3칸 중 하나에 빨간색을 칠할 수 있습니다.

98쪽

03

[정답]

5 × 4 = 20 (가지)

[풀이]

5개의 과일 중 하나를 ㉠ 주머니에 넣고 남은 4개의 과일 중 하나를 ㉡ 주머니에 넣습니다.

04

[정답] 42가지

[풀이]

가람이는 7권의 책 중 하나를 고르고 나영이는 남은 6권의 책 중 하나를 고릅니다. $7 \times 6 = 42$(가지) 방법이 있습니다.

99쪽

05

[정답] 90개

[풀이]

십의 자리에 올 수 있는 숫자는 0부터 9까지의 숫자로 모두 10개가 있습니다. 일의 자리에는 십의 자리에서 사용한 숫자 한 개를 뺀 9개의 숫자 중 하나가 올 수 있습니다.
$10 \times 9 = 90$(개)의 수가 있습니다.

06

[정답] 16개

[풀이]

십의 자리 숫자가 1인 경우에는 일의 자리에 3, 4, 7, 9가 올 수 있습니다. 십의 자리 숫자가 1이 아닌 경우에는 십의 자리에 3, 4, 7, 9가 올 수 있고 일의 자리에는 십의 자리에 온 숫자 하나를 제외한 3개의 숫자가 올 수 있습니다. $4 \times 3 = 12$(개)입니다. 따라서 만들 수 있는 두 자리 수는 $4+12=16$(개)입니다.

100쪽

07

[정답] 10가지

[풀이]

①부터 ⑤까지 5개 중 하나를 칠하고 남은 4개 중 하나를 칠할 수 있습니다. 이때 같은 무늬를 제외하면 $5 \times 4 = 20$을 반으로 가른 10가지 방법이 있습니다.

08

[정답] 6개

[풀이]

카드의 숫자가 모두 다를 때 만들 수 있는 네 자리 수의 개수는 $4 \times 3 \times 2 \times 1=24$(개)입니다. 그런데 3이 두 개 있는 경우 3과 3의 자리를 서로 바꾸어도 같은 수가 되므로 카드의 숫자가 모두 다를 때보다 만들 수 있는 개수가 반으로 줄어듭니다. 마찬가지로 7도 두 개 있으므로 개수가 반으로 한 번 더 줄어듭니다. 24개를 반으로 두 번 나누면 $24 \rightarrow 12 \rightarrow 6$(개)입니다.

101쪽

09

[정답] 15가지

[풀이]

6명 중 청소 당번이 아닌 사람 2명을 뽑아 제외시키면 청소 당번 4명만 남게 됩니다. 따라서 청소 당번을 뽑는 방법의 개수는 6명 중 2명을 고르는 방법의 개수와 같습니다.
$6 \times 5 = 30$을 반으로 가른 15가지 방법이 있습니다.

10

[정답] 21가지

[풀이]

7개의 인형 중 2개를 제외시켜 책상에 올릴 인형 5개를 남길 수 있습니다. 따라서 인형 2개를 제외시키는 방법의 개수는 인형 7개 중 2개를 고르는 방법의 개수와 같습니다.
$7 \times 6 = 42$를 반으로 가른 21가지 방법이 있습니다.

102쪽

11

[정답] 4종류

[풀이]

김밥, 떡볶이, 라면의 종류를 합하면 메뉴를 한 가지만 주문하는 방법의 개수가 나옵니다. 떡볶이가 □종류 있다면
□ + 5 + 4 = 13이므로 떡볶이는 4종류 있습니다.

12

[정답] 4가지

[풀이]

뽑기에 당첨되는 방법의 가짓수는 2가 나오는 방법 1가지와 1부터 6까지의 수 중 홀수가 나오는 방법 3가지를 더한 것과 같습니다. 따라서 $1+3=4$(가지)입니다.

103쪽

13

[정답] 2개

[풀이]

세 주머니의 구슬의 개수를 합하면 구슬 하나를 뽑는 방법의 개수와 같습니다. ⓒ 주머니에 있는 구슬의 개수를 □개라 하면 ㉠ 주머니에는 구슬이 5개, ㉡ 주머니에는 구슬이 6개 들어있으므로 6 + 5 + □ = 13입니다. ⓒ 주머니에는 구슬이 2개 들어있습니다.

14

[정답] 12가지

[풀이]

집에서 학교까지 가는 길은 3개 있고, 이 중 어떤 길로 가더라도 학교에서 도서관으로 가는 길은 4개입니다.
따라서 집에서 학교를 거쳐 도서관까지 가는 방법은
3×4=12(가지)가 있습니다

104쪽

15

[정답] 16가지

[풀이]

지우개는 4종류 있고 어떤 지우개를 고르더라도 고를 수 있는 가위는 3종류 이므로 지우개, 가위를 하나씩 고르는 방법은 4×3=12(가지)입니다. 연필은 4종류 있으므로 조건대로 문구를 사는 방법은 모두 16가지 방법이 있습니다.

16

[정답] 6개

[풀이]

집에서 곧바로 학교 가는 길이 3개 있으므로 집에서 도서관을 거쳐 학교로 가는 방법은 24가지 있습니다. 도서관에서 학교로 가는 길을 □라 하면 4×□=24이므로 도서관에서 학교로 가는 길은 6개 있습니다.

105쪽

4. 리그와 토너먼트

01

[정답] 18경기

[풀이]

한 조에 참가하는 사람은 20명을 반으로 가른 10명입니다. 1등 한 명을 결정하기 위해서는 9명의 탈락자가 생겨야 하므로 각 조마다 9경기씩 해야 합니다.

02

[정답] 7명

[풀이]

경기를 6번 했기 때문에 탈락한 사람도 6명입니다. 탈락한 사람의 수에 우승자 한 명을 더해 모두 7명이 있습니다.

106쪽

03

[정답] 10번

[풀이]

악수를 한 횟수는 5명 중 2명을 고르는 방법의 개수와 같습니다. 5×4=20을 반으로 가른 10번의 악수를 했습니다.

04

[정답] 7명

[풀이]

올해는 작년 경기와 비교했을 때 줄어든 참가자 한 명이 진행했던 경기는 하지 않게 됩니다. 작년보다 7경기 줄었으므로 올해 참가하지 않은 1명은 작년에 7경기를 했습니다. 줄어든 경기 수는 올해 참가한 사람의 수와 같고 올해 참가 인원은 7명입니다.

107쪽

05

[정답]

국가＼결과	승	패
프랑스	1	2
독일	3	0
영국	1	2
미국	1	2

[풀이]

무승부가 없으므로 승수의 합은 전체 경기 수와 같고 4팀이 리그전으로 진행하기 때문에 $4 \times 3 = 12$를 반으로 가른 6입니다. 6에 다른 국가의 승수를 빼면 프랑스는 1승 했습니다. 그리고 프랑스는 3경기 했으므로 2번은 졌습니다.

06

[정답]

이름＼결과	승	무	패
가람	2	1	1
나영	2	0	2
다정	2	2	0
리아	2	0	2
미연	0	1	3

[풀이]

5명이 참가했기 때문에 $5 \times 4 = 20$을 반으로 가른 10경기를 했습니다. 무승부가 2번 있고 미연이는 0승 했기 때문에 가람, 나영, 다정, 리아 4명의 승수의 합은 8입니다.

4명의 승수가 같기 때문에 각각 2승입니다. 한 사람이 하는 경기 수는 4경기이므로 무승부 수를 이용해 패배한 횟수도 구할 수 있습니다.

108쪽

07

[정답] 7개

[풀이]

누군가가 바둑돌을 얻는 만큼 누군가는 바둑돌을 잃기 때문에 바둑돌의 개수의 합은 항상 50($=10 \times 5$)개입니다.

세홍, 연수, 재환, 효진이가 가진 바둑돌은 모두 43개이기 때문에 소미가 가진 바둑돌의 개수는 7개입니다.

08

[정답] 2패

[풀이]

독일이 모든 경기를 이겼으므로 프랑스는 적어도 1번 졌고 따라서 독일과의 경기에서는 실점이 득점보다 많습니다. 프랑스의 득점의 합이 실점의 합과 같으므로 프랑스는 영국과의 경기에서는 득점이 실점보다 많아야 합니다.

따라서 영국은 독일, 프랑스 두 나라에게 모두 졌습니다.

109쪽

09

[정답] 3패

[풀이]

울산은 한 번도 비기지 않았으므로 경기를 지거나 이겼습니다. 이기기 위해서는 적어도 한 골은 넣어야 하는데 울산의 득점은 0 이므로 울산은 3경기 모두 졌습니다.

10

[정답]

국가＼결과	승	무	패	득점	실점
프랑스	2	1	0	2	0
덴마크	1	2	0	3	2
페루	1	0	2	3	2
호주	0	1	2	2	6

[풀이]

한 번 이길 때마다 득점이 실점보다 적어도 1골은 많아야 하고, 무승부면 득점과 실점이 같아야 합니다. 프랑스는 2번 이기고 1번 비겼으므로 득점이 실점보다 적어도 2골은 많아야 합니다. 참가국들의 득점의 합과 실점의 합은 항상 같아야 하므로 프랑스는 실점이 0입니다.

110쪽

11

[정답] 79경기

[풀이]

6팀이 리그전으로 경기를 하면 경기 수는 $6 \times 5 = 30$을 반으로 가른 15경기입니다. 따라서 예선전의 경기 수는

$15+15+15+15+15=75$(경기)입니다.

토너먼트에 참가하는 5팀 중 우승팀 한 팀을 결정하기 위해 4경기가 필요합니다.

12

[정답] 24경기

[풀이]

예선은 토너먼트로 각 조의 1등을 결정합니다. 이 때 각 조는 4경기씩 하고 예선전은 모두 4×5=20(경기)를 합니다. 각 조의 1등인 5명이 모여 토너먼트로 4경기를 진행하면 우승자 한 명이 결정됩니다.

[다른 풀이]

한 조에 5명씩 5개 조가 있으므로 참가인원은 모두 5×5=25명입니다. 1명의 우승자를 결정하기 위해 24경기 해야 합니다.

111쪽

13

[정답] ②

[풀이]

①번 방식은 한 조에 6경기씩 하므로 6×3=18(경기)의 예선전을 합니다. 본선 진출자는 3명이므로 2번의 본선 경기를 합니다.

②번 방식은 한 조에 3경기씩 하므로 3×4=12(경기)의 예선전을 합니다. 본선 진출자는 4명이므로 3번의 본선 경기를 합니다.

따라서 ①번 방식대로 하면 20경기를 하고 ②번 방식대로 하면 15경기를 합니다.

14

[정답]

ⓞ송파의 승 ㉡ 무승부 ㉢ 강남의 승

[풀이]

송파는 강남보다 점수가 낮으므로 남은 경기에서 강남보다 더 많은 점수를 얻어야 합니다. 따라서 송파가 1등을 하기 위해서는 송파와 강남의 경기에서 송파가 이겨야 합니다.

112쪽

15

[정답]

① 울산과 전북의 경기: ⓞ울산의 승 ㉡ 무승부 ㉢ 전북의 승

② 서울과 수원의 경기: ⓞ서울의 승 ㉡ 무승부 ㉢ 수원의 승

[풀이]

울산은 전북보다 점수가 낮으므로 울산은 전북과의 경기에서 이겨야 전북보다 등수가 높아질 수 있습니다. 울산이 전북에 이기면 점수는 5점이 됩니다. 따라서 서울은 수원에 이겨야 승점 3점을 얻어 1등할 수 있습니다.

16

[정답]

① 1반과 2반의 경기: ⓞ1반의 승 ㉡ 무승부 ㉢ 2반의 승

② 3반과 4반의 경기: ㉠ 3반의 승 ㉡ 무승부 ⓞ4반의 승

[풀이]

1반과 2반의 경기에서 1반이 이기면 1반은 6점, 2반은 3점이 됩니다. 3반과 4반의 경기에서 3반이 지면 3반은 1점을 더 얻어 6점이 됩니다.

1반과 2반의 경기에서 2반이 이기면 1반은 4점, 2반은 5점이 됩니다. 남은 경기에서 3반, 4반은 모두 적어도 1점은 얻으므로 동점인 반이 생길 수 없습니다.

1반과 2반의 경기에서 둘이 비기면 1반은 5점, 2반은 4점이 됩니다. 마찬가지로 남은 경기에서 3반, 4반은 모두 적어도 1점은 얻으므로 동점인 반이 생길 수 없습니다.

MEMO

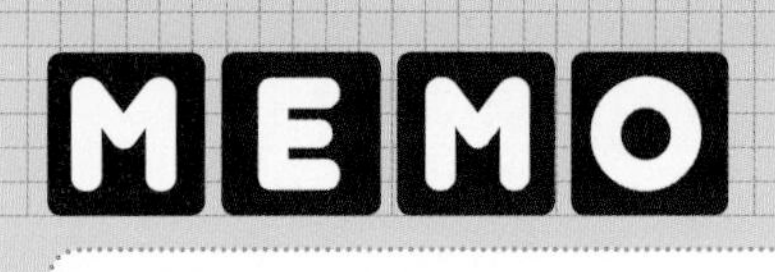
MEMO

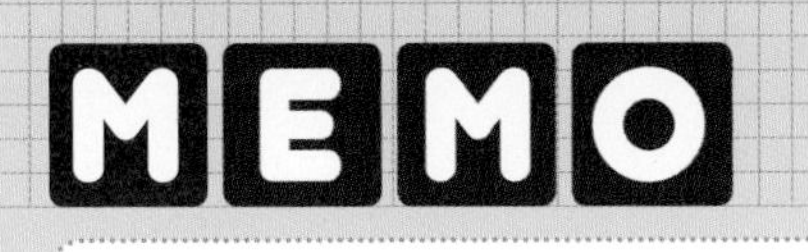

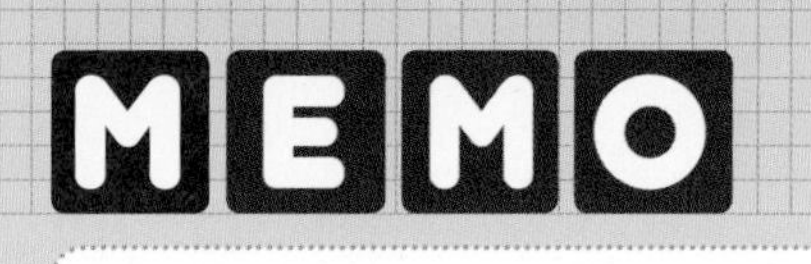
MEMO

천종현수학연구소는

천종현 연구소장 아래 사고력 수학 교재를 써온 집필진으로 이루어져 있습니다. 사고력 수학을 가르치는 것으로부터 시작하여 사고력, 창의력 교재를 개발하면서 원리로부터 시작하는 단계적 학습을 중요하게 생각하는 실전에 강한 사고력 전문가 집단입니다.

원리를 이해하는 공부가 아니라 방법을 암기하는 수학 공부법에 대한 문제 인식을 가지고 아이들이 쉽고 재미있게 공부하면서도 생각하는 힘이 자라는 수학 컨텐츠를 연구하고 있습니다.

천종현수학연구소

실력을 쌓는 수학 공부는 연산도 연습과 함께 원리가 중요합니다.
원리셈은 생활 속 소재와 교구 그림을 통해 쉽게 원리를 익히고, 다양한 문제로 재미있게 반복 연습할 수 있는 연산 교재입니다.

5·6세 단계

수와 수학을 처음 배우는 단계
수 읽기, 세기, 쓰기를 붙임 딱지를 활용하여 재미있게 공부하도록 구성
매 단원의 마지막은 쉽고 재미있는 내용의 사고력 수학

6·7세 단계

수를 세어 덧셈, 뺄셈의 개념을 아는 단계
20까지의 수를 차례로 세어 덧셈, 뺄셈을 이해하고 생활 속 소재와 흥미 있는 연산 퍼즐을 통해 재미있게 공부

7·8세 단계

한 자리 덧셈, 뺄셈을 확실히 잡아가는 단계
받아올림, 받아내림 없는 덧셈, 뺄셈 다지기와 10의 보수 학습을 통한 받아올림, 받아내림의 개념 잡기

초등1 단계

초등 1학년 단계
받아올림, 받아내림 없는 두 자리 덧셈, 뺄셈과 받아올림, 받아내림이 있는 한 자리 덧셈, 뺄셈의 집중 연습
마지막 단원은 앱을 이용하여 시간을 재고 다른 친구들의 기록과 비교하는 집중 연산

초등2 단계

초등 2학년 단계
두 자리 덧셈, 뺄셈과 곱셈구구 그리고, 나눗셈의 개념 알기
마지막 단원은 앱을 이용하여 시간을 재고 다른 친구들의 기록과 비교하는 집중 연산

초등3 단계

초등 3학년 단계
세 자리 덧셈과 뺄셈과 두/세 자리 곱셈, 나눗셈
총 6개 단원으로 그 중 2개 단원은 앱을 이용하여 시간을 재고 다른 친구들의 기록과 비교하는 집중 연산

초등4 단계

초등 4학년 단계
큰 수의 곱셈과 나눗셈, 분수와 소수의 덧셈과 뺄셈, 자연수 혼합 계산
총 6개 단원으로 그 중 2개 단원은 앱을 이용하여 시간을 재고 다른 친구들의 기록과 비교하는 집중 연산

초등5·6 단계

초등 5, 6학년 단계
분모가 다른 분수의 덧셈, 뺄셈, 분수와 소수의 곱셈과 나눗셈
6학년 연산 비중이 낮은 것을 고려한 통합 연산 단계
총 6개 단원으로 그 중 2개 단원은 앱을 이용하여 시간을 재고 다른 친구들의 기록과 비교하는 집중 연산

예비 중등 단계

초등 6학년, 중등 1학년 단계
유리수의 혼합 계산과 방정식의 계산 2권으로 중등 수학을 처음 접하는 학생들 위한 원리 중심의 연산 교재
총 6개 단원으로 그 중 2개 단원은 앱을 이용하여 시간을 재고 다른 친구들의 기록과 비교하는 집중 연산